D1240413

LOST IN JÉRUSALEM

*100 Femmes inoubliables,* Solar, 2010.

Katia Chapoutier

# Lost in Jérusalem

LE PASSEUR
ÉDITEUR

www.lepasseur-editeur.com

© Le Passeur, 2013
ISBN : 978-2-36890-006-2

*Pour Damien, Maya et Hadrien*
*sans qui ce livre n'aurait pas été le même.*

« Porteuse saine du virus du syndrome de Jérusalem. Précision : un porteur sain est un individu infecté par un micro-organisme pathogène ne présentant pas de signes cliniques de cette infection mais pouvant transmettre cette infection contagieuse. »

Marie-Armelle Beaulieu

# 1

« C'EST QUOI votre métier ?
  – Journaliste.
– Pardon ?
– Euh… Journaliste !
Le ton de la douanière est aussi agressif que suspicieux.
– Je ne vous entends pas. Vous êtes ?
– Journaliste.
– Vous venez pour quoi ?
– Vacances.
– Vous êtes sûre ?
– Euh… oui.
– Moi je ne crois pas. »
Cueillie à froid, j'ai soudain les joues en feu. Son regard est tellement perçant que j'ai l'impression qu'elle scrute jusqu'à la couleur de mes sous-vêtements.
« *Go over there*[1] ! »
Entre incrédulité et angoisse, je sens mon cœur au bord de l'explosion. C'est sûr, tout le monde l'entend battre. Pourtant, je n'ai rien à me reprocher.
Enfin, je crois…
Direction le bureau d'un maousse costaud qui me fait signe de m'asseoir.
« Que faites-vous comme métier ?
– Journaliste. »

---

1. « Allez là-bas. »

J'ai soudain l'impression d'être dans un horrible jeu télévisé et d'entendre le buzzer de la mauvaise réponse.

« Vous êtes là pour quoi ?

– Vacances.

– Vraiment ?

– Oui ! »

Je sens de nouveau mes joues s'empourprer. Comme lorsqu'on a 8 ans et qu'un adulte doute de nous. On ne ment pas, mais... double buzzer !

« Parce que si vous êtes là pour le travail, on va le savoir. Vous avez déjà travaillé en Israël ? »

Heuuuuu, j'explique le voyage de presse il y a dix ans pour découvrir les bienfaits des cosmétiques de la mer Morte ou je laisse tomber ?

– Vous êtes seule ?

– Oui.

– Vraiment seule ?

– Oui, oui. »

Un long silence s'installe. J'ai alors une pensée pour ce prof de marketing qui me disait : « Vous avez un truc dans le regard qui fait que, même si vous mentez, eh bien on a envie de vous croire. »

Visiblement, ce *truc* n'est pas exportable en Israël.

« Vous ne connaissez personne ? Vraiment personne ? Vous n'avez aucun contact ? »

Est-ce que c'est à ce moment-là que je dois avouer que, pendant six semaines, j'ai enquêté en vue d'un documentaire sur Jérusalem ? Que normalement je devrais être là en repérages mais que, comme c'est tombé à l'eau, la production m'a offert les billets d'avion ? J'entends déjà la déferlante de buzzers. Et, en même temps, franchement, est-ce que je me sens capable de duper maousse costaud ?

« *Only vacations*[1].

_____

1. « Seulement en vacances. »

12

– Allez dans la salle là-bas. La sécurité va vous interroger. »

Ah bon, mais vous, c'était quoi ? Le pot de bienvenue ? Une demi-heure de questions d'une nouvelle femme. Pas costaude mais pas commode.

« Comment savoir que vous n'êtes pas venue aider des journalistes à couvrir les événements ?

– Quels événements ? J'arrive du Jura…

– Quelle est cette carte qui dépasse de votre sac ?

– Ah ben, c'est la carte du Jura justement.

– Pourquoi ? »

Et là, je lui fais le pitch du film que je vais faire pour *Des Racines et des Ailes* sur les trésors cachés du Jura ? Ou bien je laisse tomber ?

« Vous savez que si vous travaillez ici, on va le savoir, et votre entrée sera refusée. »

Il est minuit passé et l'angoisse finit de prendre possession de mes derniers neurones. Je n'aurais jamais imaginé que l'on puisse m'empêcher de fouler le sol israélien. D'autant que je suis la SEULE à avoir été recalée de tout l'avion.

« Avez-vous des contacts avec des Palestiniens ? Qu'est-ce que vous allez faire à Jérusalem ? Voir quoi ? Comment ça, vous n'avez pas de numéro de téléphone fixe chez vous ? »

Chaque question ressemble à un piège.

« Si vous mentez, on le trouvera, c'est notre métier.

– …

– Que pensez-vous de cette affaire de flottille ?

– Quelle affaire de flottille ? »

Je comprends finalement entre les lignes qu'il y a une situation de crise aiguë et que c'est précisément demain et après-demain que cela se joue. Avant de partir à l'étranger : leçon numéro 1, toujours lire *Le Monde* ; leçon numéro 2, compléter par *Le Monde diplomatique*.

« J'ai besoin de vérifier les informations que vous nous avez données. Cela peut prendre du temps », conclut-elle avec un regard digne de Poutine qui jouerait au poker.

Cela ne me dit rien de bon, ils vont forcément retracer mon enquête. Mes mails échangés avec des tas de gens de Jérusalem. Ils vont me renvoyer. Peut-être même me garder en détention pour me faire parler.

Me voilà seule dans une salle d'attente. Cela fait deux heures que je suis à l'aéroport et ils se sont bien gardés de me rendre mon passeport. Autant dire, je me sens nue.

Je me vois déjà de retour à Paris et je me sens minable. Cela dit, si j'étais terroriste, je serais plus convaincante et cela leur mettrait la puce à l'oreille. Enfin, je crois...

Attendre, attendre, attendre, pour finalement entendre, « *Have a nice stay*[1] ! »

Avec un mini-sourire en prime ! Le soulagement est énorme mais je me sens comme vidée, épuisée. Plus de jambes, plus d'enthousiasme, plus de repère.

Il est 2 h 30 du matin, il faut que je trouve un taxi collectif, un *shirout* pour Jérusalem. Un monsieur d'un âge mûr m'indique la direction. Il m'offre, par la même occasion, une sorte de rose sauvage qu'il a dû cueillir on ne sait où. « *Welcome in Israel*[2] », me dit-il en faisant une étrange révérence. Mais où suis-je donc ? Quel est ce pays ?

Une heure de route. Me voilà porte de Jaffa. J'ai les indications de mon logement sur un bout de papier. Un vieil Arabe qui accompagne une Américaine me dit en *Arafat english* : « Vous allez vous perdre, je vais vous aider. »

Il marche plus vite que son ombre, tourne à gauche, à droite, à gauche... Pour finalement me lâcher. « Je ne

---

1. « Bon séjour ! »
2. « Bienvenue en Israël ! »

suis pas sûr, mais cela doit être par là-bas, genre vers la gauche, sinon essayez la droite. »

Me voilà livrée à moi-même avec ma valise rose Barbie à traîner. Non seulement elle roule très mal sur les pavés de la vieille ville, mais elle fait un bruit assourdissant qui amplifie l'écho de ma solitude.

Évidemment, le téléphone ne passe pas et je n'ai aucune idée de l'endroit où je suis.

Les chats semblent avoir pris le pouvoir dans ces rues désertes. La nuit, le calme, le ciel constellé d'étoiles, les pavés usés par les siècles, les enseignes arabes, on dirait un décor de film.

À partir de là, s'engage une étrange partie de flipper où je suis renvoyée de part et d'autre par le hasard des rencontres. D'abord un vendeur de thé qui lave ses dernières tasses. Un vieux un peu sourd qui me regarde d'un air suspicieux. Des flics qui veulent me proposer un autre hôtel parce que l'Ecce Homo, selon eux, cela n'existe pas.

Puis le vieil Arabe du début recroise ma route. « Ah bon, vous n'avez pas trouvé. Ben alors, je ne sais pas… » Puis de nouveau les flics qui m'escortent sur cent mètres pour me laisser en carafe. « Non, vraiment, on ne peut pas vous aider. »

Cela fait une bonne heure que je tourne, je suis épuisée, mais étrangement heureuse et sereine. À court de solution, d'idée, je décide de me poser pour voir ce que la vie me réserve. Me voilà assise sur ma valise. Une seconde plus tard, l'appel à la prière résonne. C'est juste… beau.

Au bout de vingt minutes, ma pseudo-méditation est interrompue par des musulmans en tenues religieuses qui s'inquiètent de mon sort. Ils sont originaires du Canada anglophone et reviennent de la mosquée. Leurs femmes me sourient avec compassion. Ils sortent une carte, on compare les indications. Et au moment où ils s'apprêtent à m'envoyer dans une nouvelle direction, un type arrivé de nulle part se mêle à la conversation.

« *What are you looking for ?* » J'annonce l'Ecce Homo d'un ton hésitant. Vient alors sa réponse, belle comme un conte de fées « Ecce Homo ? *Oh yes of course, French sisters' convent, come with me*[1] *!* »

On repasse devant les flics qui s'inquiètent mollement du fait que je n'ai *toujours* pas trouvé mon toit... Puis, comme par magie, me voilà enfin arrivée à bon port, la Via Dolorosa. Trois marches hautes et une très lourde porte en bois.

Je découvre un couvent magnifique, carrelage genre 1910, meubles années 1950 avec ce qu'il faut de formica pour une belle ambiance rétro. Avant d'arriver à ma chambre, je traverse la terrasse, avec une vue hallucinante sur le dôme doré magnifiquement éclairé. Il est tellement imposant que j'ai l'impression de pouvoir le toucher en tendant le bras. L'image est simplement à couper le souffle. On m'avait dit que c'était le meilleur rapport emplacement/prix de la ville. Je suis littéralement bluffée.

Jérusalem, à nous deux.

---

1. « Que cherchez-vous ? Ecce Homo ? Oh oui bien sûr, le couvent des sœurs françaises, venez avec moi ! »

## 2

JE SUIS donc au couvent. Juste retour aux sources pour une fille qui a fait toute sa scolarité chez les sœurs du Sacré-Cœur.

Excepté qu'aujourd'hui, la trentaine bien sonnée, je me laisse envelopper par la sérénité des lieux. La chambre est parfaite. Un bureau face à la fenêtre qui me permet d'entendre les bruissements de la rue et l'appel à la prière. Une icône au visage réconfortant me tient compagnie. Pas de superflu. Juste ce qu'il faut pour s'imaginer chez soi. L'atmosphère de l'Ecce Homo est sereine et recueillie. Probablement parce que c'est un lieu saint. C'est ici que Jésus a été présenté à Ponce Pilate. Même si ce n'est pas l'épisode le plus folichon du nouveau testament, symboliquement ce n'est pas rien.

À deux pas de ma chambre, cette terrasse extraordinaire. Magnifique la nuit, elle est carrément superbe le jour. Immense, elle offre une vue imprenable sur la vieille ville, et donc, bien sûr, sur le Dôme du Rocher. Depuis le mandat britannique, toute construction au sein de la Ville sainte doit se faire avec la fameuse pierre de Jérusalem. Couleur sable du désert, elle offre d'incroyables variations de lumière tout au long de la journée.

En me hasardant dans la vieille ville, je redécouvre, de jour, les ruelles où je m'étais perdue, mais cette fois, bardées de moult échoppes en tout genre. Étonnant. C'est une autre ville. Un autre temps.

Mon regard est finalement attiré par un magasin d'antiquités. Meubles, bijoux, peintures, un capharnaüm qui semble raconter mille secrets de la Ville sainte. L'un des vendeurs me propose de prendre le thé avec lui. Il s'appelle Mahmoud. Après tout, pourquoi pas ? C'est aussi une manière de découvrir la ville.

Mahmoud a 35 ans, il a déjà cinq enfants. Il a un physique d'Italien du sud. À peine a-t-il décliné sa situation familiale, qu'il me scrute quelques secondes, et finit par lâcher : « C'est peut-être indiscret mais quand je vous ai vue, je me suis dit, cette fille sourit mais elle a l'air triste à l'intérieur. J'ai l'impression qu'un homme vous a fait souffrir. Alors j'ai envie de vous demander, êtes-vous là pour oublier ? »

En temps normal, je ne suis pas sûre de goûter ce genre de plaisanterie, de petit coup de bluff, et pourtant, là précisément, je rougis.

En effet, il y a quelques jours, j'ai soldé un divorce long et douloureux. Et effectivement, mon voyage est pour moi un nouveau départ. Une ouverture vers le monde. Un rendez-vous avec moi-même. Comme il n'est pas question que je lui déballe ma vie pour autant, je souris et hoche la tête. « C'est un peu cela, Mahmoud. »

Il sourit à son tour. Il ne posera pas plus de question sur le sujet. Par contre, il est curieux de savoir ce que je veux découvrir à Jérusalem. Est-ce que je suis croyante ? Qu'est-ce que je sais de Jérusalem ? Quels sont mes projets ? « Alors, si vous avez besoin de conseils ou de tuyaux, je suis là tous les jours et je suis toujours heureux d'avoir de la compagnie pour prendre un thé. » Je ressors, surprise, car il n'a même pas essayé de me vendre la moitié du magasin, ni même une babiole. Pas de plan drague. Une rencontre humaine. Simplement.

Je reprends mon exploration, me perds avec plaisir dans les ruelles. Je finis par croiser le chemin du Saint-Sépulcre dont j'ai un vague souvenir. Le Saint-Sépulcre, c'est un peu Notre-Dame de Paris, quand on y rentre on aimerait être comme Paul Claudel, transpercé par une révélation. Et à peu près n'importe laquelle d'ailleurs, juste histoire de dire que…

Sauf que ce n'est pas possible.

Il y a trop de monde qui fait des trucs bizarres. Difficile de visiter ou d'apprécier cet imbroglio de chapelles alors que les gens se mitraillent en train d'embrasser la pierre tombale de Jésus, ou se bousculent pour déposer les brassées de cierges qu'ils viennent d'acheter. L'envie de capturer au plus vite et au plus efficacement la sainteté des lieux semble rendre les gens dingos.

Dans leur enthousiasme, les pèlerins sont prêts à vous marcher dessus ou à vous dégager d'un coup de coude franc et massif.

D'un autre côté, il suffit de prendre un peu de hauteur, et il y a les marches pour cela, pour se dire qu'une telle ferveur est une fontaine d'espoir, une source d'ondes positives pour le monde.

Mais à la troisième invective en russe, je prends la fuite. Je reviendrai sûrement. Je me faufile dans deux petites chapelles sans âge puis un escalier étroit me mène sur le toit. J'avais le souvenir de ce fameux monastère éthiopien aux volets verts au cœur d'une immense terrasse. C'est tellement calme soudain que, d'un coup, croyant ou pas, on y ressent un beau souffle de spiritualité.

Jusqu'à ce que Jésus, en personne, dans sa toge blanche, débarque. La trentaine, plutôt bien dodu, il est là, pieds nus. Une femme lui demande, en anglais, depuis combien d'années il vit à Jérusalem. Il répond avec un accent du sud des États-Unis : « Trois mois. » L'air bonhomme, il semble être ouvert à la discussion. Il doit faire partie de la cinquantaine voire centaine de cas du syndrome de Jérusalem que la Ville sainte voit fleurir chaque année. C'est un peu le cousin germain du syndrome de Stendhal. Une décompensation psychotique pour certains visiteurs bouleversés par les lieux. Trop de sacré, trop d'histoire, trop de spiritualité, soudain ils se prennent pour un prophète. Et il n'est donc pas rare de voir des Jésus en toge déambuler dans la vieille ville. À chaque fois, cela fait quand même son petit effet.

Pour ma part, il est temps de passer à l'étape suivante : essayer de retrouver le Mur des lamentations. J'ai le souvenir que tout se tient dans un mouchoir de poche. En chemin, un Juif visiblement religieux veut me bénir. Soit. Il demande le nom de mon mari, histoire de faire d'une pierre deux coups.

Je me sens un peu penaude de dire que, ben, en fait, il n'y en a plus... Il balaye cela d'un revers de la main, en disant « *very soon, very soon*[1] » pour finalement bénir mes parents à la place. Ce qui, en soit, n'est pas une mauvaise idée, car c'est évidemment une valeur beaucoup plus stable. Montant de la transaction : 10 shéquels (2 euros).

Il y a un monde fou au Mur des lamentations. Bousculades pour passer les portiques de sécurité. Je baisse un peu les bras. Il fait trop chaud, je reviendrai plus tard. Je décide de retourner faire une pause au couvent et m'installer sur la terrasse, à l'ombre, pour noter mes premières impressions.

Je fais la connaissance d'une Américaine arrivée à l'Ecce Homo en même temps que moi. Elle s'appelle Tonetta, elle vient de Californie. C'est une belle fille avec la peau ébène et dont les dreadlocks s'arrêtent au milieu du dos. Prof de littérature anglaise, elle est venue prendre des cours d'arabe durant l'été. Pourquoi des cours d'arabe ? Par curiosité, par envie de découvrir d'autres vies, d'autres mondes.

Décalage horaire, chaleur, elle s'avoue un peu perdue. Elle ne connaît rien de Jérusalem, ni d'un point de vue

---

1. « Bientôt, bientôt. »

historique, ni d'un point de vue religieux. Elle ne sait pas par où commencer.

Je lui propose donc de participer, le soir même, à une visite du quartier juif de la vieille ville qui doit se terminer par le tunnel du Mur des lamentations.

J'ai été surprise de découvrir que des archéologues ont mis à jour, en dessous du quartier arabe, l'extension du Mur des lamentations sur plus de quatre cents mètres. Les découvertes sont intéressantes, mais c'est comme tout, il y a évidemment plusieurs manières de le raconter. Et ici, plus que nulle part ailleurs, archéologie rime avec problématique politique. L'histoire des pierres est pour beaucoup le meilleur moyen de prévoir l'avenir de la ville.

Ce jour-là, nous sommes accompagnées par un guide religieux dont l'objectif est de nous faire une visite de la ville dans les pas de la Bible. Le principe est de transmettre un message assez simple aux visiteurs : « Nous étions là avant tout le monde » et « Les musulmans sont les méchants ». Un peu comme si la Bible était un cadastre.

Il est important pour le guide de nous faire comprendre pourquoi il y a urgence à construire le troisième temple. Le premier a été détruit en 598 avant Jésus-Christ par Nabuchodonosor II. Le deuxième temple, le plus impressionnant, magnifique, rutilant, a, lui, été rasé en l'an 70 par les Romains. Depuis, les juifs aimeraient évidemment reconstruire un troisième temple.

Le problème c'est qu'entre-temps, à l'emplacement de ces fameux temples, s'est installée au VII$^e$ siècle l'esplanade des Mosquées et plus précisément le Dôme du Rocher. On imagine combien c'est un « détail » que notre guide aimerait balayer d'un revers de la main. Seulement voilà, cet emplacement-là est aussi un lieu saint pour les musulmans.

J'ai adoré Tonetta qui, en toute candeur, a su poser des questions que je n'aurais jamais osé formuler. Et je crois que mon moment préféré a été celui où elle a dit : « *Are you talking about palestinian Jews*[1] ? »

Alors, le guide s'est raclé la gorge et a légèrement bégayé : « *Hum, hum, I am, I am not sure I can understand what you mean*[2]... » Impossible pour lui de mélanger dans la même phrase le concept de Palestiniens et de Juifs.

Cela dit, je me permets de me moquer de ce monsieur, fort calé dans son domaine d'ailleurs, mais franchement, pour ma part, je suis à mille lieux de saisir toutes les subtilités de la ville...

Après trois heures de visite guidée, avec Tonetta, on avait bien envie d'une petite boisson fraîche sur la formidable terrasse de notre couvent. Je rentre donc, pleine d'enthousiasme, dans une épicerie pour demander des bières.

Le monsieur sourit : « *Hum, well, in fact, we are Muslims*[3]... » Je ne trouve rien d'autre à répondre que : « *In fact, I am blond*[4] », et, vu son éclat de rire, je crois que notre réputation de QI d'huître a bien voyagé jusqu'au cœur de Jérusalem.

Finalement, on opte pour des sodas et lorsque nous nous installons sur la terrasse, une douce brise nous accueille. Il n'y a personne d'autre. Une sérénité qui nous enveloppe. Au moment où nous partageons le bonheur d'être là, le bruit d'un pétard jaillit. Un léger sursaut. Et soudain, face à nous, un feu d'artifices enflamme le ciel.

Tout simplement magistral !

---

1. « Vous parlez des Juifs palestiniens ? »
2. « Je ne suis pas sûr de comprendre de quoi vous parlez. »
3. « Hum, en fait, nous sommes musulmans. »
4. « De fait, je suis blonde. »

**Syndrome de Jérusalem : ils sont fous ces Israéliens !**
www.coolisrael.fr

Si, lors de votre premier voyage en Israël, vous voyez Moïse ou Jésus surgir devant vous au détour d'une rue de Jérusalem, ou le Messie sur un banc de Tel-Aviv, sachez que ce n'est pas vous qui êtes victime d'hallucination. Le syndrome de Jérusalem ou « syndrome du voyageur » est un trouble psychique passager que rencontrent certaines personnes confrontées à la réalité du pays visité, en l'occurrence, l'abondance de symboles religieux à Jérusalem... On retrouve le même syndrome pour d'autres grandes villes comme le syndrome de Paris, pour les désillusionnés du Paris d'Amélie Poulain, bien illustré dans le film de W. Allen, *Midnight in Paris*.

À leur arrivée en Israël, certains touristes atteints de ce syndrome se prennent pour des personnages de la Bible et prêchent la bonne parole autour d'eux... C'est le cas de Homer Simpson dans la saison 21 des Simpsons (16ᵉ épisode) où Ned Flander souhaite faire visiter Israël à Homer !

Les symptômes sont une forte agitation, puis le désir de se pavaner seul dans la ville en revêtant une toge antique. Les personnes atteintes de ce syndrome finissent souvent à l'hôpital ! Ainsi, 1 200 personnes auraient ressenti ce syndrome entre 1980 et 1993, et une quarantaine de personnes sont hospitalisées chaque année à l'hôpital israélien de Kfar Shaul.

Bien entendu, le manque de sommeil lié aux nuits passées, au début du séjour à Tel-Aviv, et le décalage horaire doivent influencer ce trouble psychique des touristes !

# 3

L E VENDREDI, c'est une sacrée journée à Jérusalem. Chacun y va de son moment spécial. D'abord les musulmans, car c'est le jour de la prière hebdomadaire ; puis les chrétiens, qui refont le chemin de croix ; et finalement les juifs, qui célèbrent le début du sabbat.

J'aurais bien aimé caler mon emploi du temps sur ces différentes prières. Mais je suis un peu désemparée par l'intitulé « généralement réservé aux musulmans » qui accompagne, dans les guides touristiques, les descriptions du Dôme du Rocher et de la mosquée Al Aksa.

Le « généralement » me laisse un bon espoir de réussite mais je ne sais pas ce qu'il englobe précisément, et encore moins comment le contourner.

J'opte alors pour la visite guidée de la synagogue Hurva. Une synagogue qui, en 2010, a été reconstruite pour la quatrième fois.

C'est, pour moi, une première. Je ne suis jamais rentrée dans une synagogue !

Le guide commence en anglais pour annoncer que, naturellement, il va faire la visite en yiddish. Cri du cœur. « Non, s'il vous plaît en anglais. Je ne parle pas yiddish. » Douze paires d'yeux interrogateurs se retournent vers moi. Quelques sourires compréhensifs. Il n'y a qu'une *goy*, mais le groupe a la délicatesse de s'adapter. Un ou deux froncements de sourcils, quelques haussements d'épaules, tout au plus.

Pour la dernière version de cette synagogue, le souhait de l'architecte était de la reconstruire au plus près de ce qu'elle était. Photos, plans, tout a été scruté au millimètre près. Les Palestiniens ont hurlé au scandale car on construisait une synagogue bien trop près de la mosquée Al Aksa (la mosquée qui jouxte le Dôme du Rocher sur l'esplanade des Mosquées). Et de fait, elles ne sont pas très loin l'une de l'autre. Les juifs ont revendiqué leur droit à reconstruire un monument emblématique du quartier juif de la vieille ville. Ici, le déplacement d'une seule pierre est inévitablement sujet à caution et à controverse.

Une fois à l'intérieur, je ne peux pas m'empêcher de noter que, comme dans les mosquées, les femmes sont à part et ont un espace réduit. Mais, comme on me l'avait déjà dit à Istanbul : « Oui, mais regardez, elles ont la meilleure place, en hauteur... Une belle vue plongeante sur la synagogue. »

Étonnant, la capacité des femmes à parasiter le message divin. Et ce, pratiquement dans toutes les religions. Serions-nous le diable ?

Au moment où nous nous apprêtons à descendre les escaliers pour quitter la synagogue, le guide est devant la porte, et je ne suis pas sûre de ce que je dois faire. Je lui demande donc s'il attend que je descende en premier. « Dans notre religion, un homme ne passe jamais après une femme. » Je souris. « Il doit la guider, n'est-ce pas ? » Il sourit à son tour et conclut : « Même si nous savons tous que ce sont les femmes qui, au final, dirigent le monde, non ? »

Ce qui est très troublant ici, c'est que, dès qu'on parle à quelqu'un il faut faire un *reset* dans sa cervelle pour adopter les bons codes. À qui avons-nous affaire ? Quelle religion ? Et quelle branche de la religion ? Parfois c'est si complexe que j'ai l'impression de regarder un film en hébreu ou en arabe sans avoir les sous-titres.

Hier, j'ai adressé la parole à un juif religieux. Il s'est tourné vers son copain, lui a dit un truc en hébreu, et

l'autre m'a signifié, dans un anglais absolument parfait :
« *Sorry, we don't speak English*[1]. » Traduction : « *Hey girl,*
passe ton chemin, on ne cause pas aux filles. »

En revanche, ce matin, dans le même quartier, un juif
(peut-être un peu moins) religieux est venu me faire la
causette pour m'inviter au sabbat du rabbin. En cours
de conversation, alors qu'il me mitraillait de questions
en tout genre, « Êtes-vous croyante ? Où logez-vous ?
Chez les sœurs, cela doit être dur, etc. », il me demande
de me couvrir les épaules car c'est compliqué pour lui
de me parler ! Coup de bol, je venais tout juste d'investir
dans un foulard à 25 shequels (5 euros) pour faire face
aux différentes configurations (couvrir les bras, couvrir la
tête, se protéger du soleil…).

Je vois bien, et moi la première, que l'on essaie de
mettre des gens dans des cases. Et bien souvent, on me
demande où est mon mari. Quand je réponds qu'il n'y
en a pas, c'est systématiquement suivi par le « *why ?* »
qui me laisse un peu sans voix.

Pensent-ils que je vais leur expliquer ma vie en une
phrase ? Vais-je être obligée, pour avoir la paix, de mentir au pays de la sainteté ? Pour beaucoup, l'idée même
qu'une femme voyage seule semble absurde. Et j'ai beau
expliquer que c'est le meilleur moyen d'avoir une véritable connexion avec les lieux, je vois bien que rares
sont ceux qui acceptent cette idée. Et ce, quelle que soit
leur religion.

Sur le retour, à deux pas du couvent, un Palestinien
lit son journal. Il m'interpelle en anglais. « Pouvez-vous
me dire pourquoi, chaque jour, je dépense deux shequels
pour acheter le journal alors que, chaque jour, ce sont
exactement les mêmes nouvelles qu'ils me resservent ? »
Éclats de rire. « Vous n'avez vraiment pas de chance,

---

1. « Désolé, nous ne parlons pas anglais. »

vous. Vous dites cela à une journaliste. – Ah ben, très bien. Eh bien, je vous offre un café et nous allons tirer cela au clair immédiatement. »

Il a la trentaine et l'œil pétillant comme un Jamel Debbouze. Comme lui, il n'est pas très grand mais vibrionnant. Il est le concierge d'une des églises de la Via Dolorosa. Une sorte d'homme à tout faire que tout le monde semble connaître. J'apprends qu'il n'est pas allé à l'école très longtemps, mais je comprends rapidement que le responsable de l'église a vu en lui quelqu'un d'efficace et de confiance.

Il parle arabe, anglais, hébreu, allemand, russe et même arménien. Il a une intelligence instinctive et une capacité à s'adapter à chaque interlocuteur. Je reste avec lui une demi-heure et je le vois interagir avec les employés du petit restaurant rattaché à l'église, les visiteurs, les pèlerins, les membres de la communauté religieuse. Il jongle, cabotine, s'amuse. La vieille ville est son pays et la Via Dolorosa, son royaume. Il est veuf et élève ses deux filles avec l'aide de sa mère et ses sœurs.

Clairement, il a décidé de m'impressionner par ses bons mots et, comme Mahmoud du magasin d'antiquités, il propose de simplifier mon séjour si j'en ai besoin. Je souris. « Pourquoi pas ? » Il me sert alors la main. « Moi, c'est Issam. – Moi, Katia. – Reviens prendre un autre café pour me raconter les raisons profondes de ton voyage, cela m'intéresse », conclut-il.

En le quittant, j'ai vu aujourd'hui mes premiers Japonais, et je n'ai pas pu rater le premier groupe brésilien dont, malgré un âge relativement mûr, plus de la moitié était affublée de maillots de foot vert et jaune. Le foot, vecteur de communication bien plus efficace et fédérateur que la politique ?

Pour ma part, j'ai opté pour une tenue très citoyenne du monde : pantalon de pêcheur thaï, tunique achetée à

Istanbul et grosses lunettes pour cacher mes yeux bleus. Très efficace, cela m'évite de décliner tout au long de la journée les « *heu, sorry, I don't speak russian*[1] ». Et enfin, le foulard protège-soleil porté genre, je suis une musulmane décontractée. Au final, personne aujourd'hui n'a deviné que j'étais Française... et cela ne m'a pas déplu.

À force de me perdre dans la vieille ville (ah, tiens, je reconnais cette pancarte, je l'ai vue quand j'étais perdue ou je l'ai vue sur mon bon chemin ?), j'ai décidé de sortir des remparts.

Direction le jardin de la Tombe. C'est LE lieu saint des protestants et des anglicans. Ces derniers ont une interprétation des textes légèrement différente des autres chrétiens. Ces informations croisées avec les recherches archéologiques du XIXe siècle les poussent à croire que le tombeau de Jésus se situerait, non pas au Saint-Sépulcre, mais plutôt à côté de ce rocher qui ressemble à un crâne. Rappelez-vous, on parle du mont Golgotha qui veut dire crâne... CQFD !

Je n'ai évidemment aucune compétence pour juger du degré de sainteté ou de véracité, par contre, je peux affirmer qu'avec ses bougainvilliers, ses lauriers roses, ses oliviers, c'est 100 000 fois plus paisible pour s'installer avec un bon bouquin. Loin de la cacophonie des groupes de pèlerins, des sirènes en tout genre, des klaxons agacés, ici, au frais, le temps s'égraine en douceur. Surtout que les protestants et les anglicans, cela représente un pourcentage de pèlerins bien plus faible, donc tranquillité assurée.

Quant à ma phrase préférée du jour, elle vient d'un chauffeur de taxi qui m'a ramenée du jardin de la Tombe au couvent. Quand je lui demande le prix de la course, il me répond : « Combien voulez vous payer ? » Eh bien,

---

1. « Heu, désolée, je ne parle pas russe. »

moi qui suis d'habitude si prompte à caqueter... j'avoue, je suis restée sans voix.

Pour ce qui est de la bonne réponse, elle était, en fait : moitié moins cher que celui qui m'avait embarquée à l'aller.

# 4

JÉSUS ne cesse de faire parler de lui. C'est donc un Américain pur sang. Il paraît qu'hier, il traînait du côté du chemin de croix aux heures adéquates. Aux dernières nouvelles, il semblerait qu'il ait tourné une ou deux vidéos dans Jérusalem qui ne rencontrent pas le succès escompté sur Dailymotion. Est-il là pour la reconnaissance, l'argent, ou un simple grain de folie ? J'aimerais en savoir plus…

Dans cette vieille ville, on a l'impression que le destin nous invite à recroiser régulièrement les mêmes personnes. Il y a, en fait, une explication assez pragmatique à cela. C'est une formidable journaliste française à l'enthousiasme contagieux, Marie-Armelle Beaulieu, qui m'a révélé la clé du mystère.

La surface de la vieille ville, intra-muros donc, est de 0,84 km². À savoir l'équivalent, à Paris, de l'espace de la place de la Concorde, entre le Crillon et l'Assemblée nationale. Là-dessus, on case 30 000 personnes, 3 lieux saints, des montées et des descentes, des rues entremêlées qui se ressemblent toutes plus ou moins, et on comprend pourquoi on se perd tout le temps en croisant les mêmes têtes.

Marie-Armelle vit depuis plusieurs années à Jérusalem, ville dont elle est tombée follement amoureuse. Elle est rédactrice en chef d'une revue qui s'appelle Terre sainte, destinée aux pèlerins. À force d'observer et de décrypter la ville, elle la connaît comme sa poche. Religieuse, raide dingue de Jésus, Marie-Armelle a, en plus, une relation viscérale avec le Saint-Sépulcre.

Alors forcément, j'ai tout de suite senti son pincement au cœur quand je lui ai dit que j'étais partie en courant lors de ma dernière visite. Ni une, ni deux, elle m'a embarquée, car ce jour-là, elle devait faire une photo du nombril du monde.

Le nombril du monde, pour les Grecs, c'est une sorte de petit tabouret en bois que l'on vient toucher car, emblématique du lieu de la renaissance du Christ, il est le centre même de notre univers. Par acquis de conscience, je l'ai touché, et ma main a même servi de modèle pour la photo de Marie-Armelle.

Ensuite, elle m'a fait une visite guidée digne de ce nom. Avec passion et anecdotes à l'appui. Elle m'a en quelque sorte décortiqué les lieux, ici, des vestiges de l'église construite par Constantin au IV$^e$ siècle, là, la structure byzantine qui a recyclé des colonnes du temple païen d'Hadrien, un peu plus loin, les traces laissées par les Croisés, ou encore le tombeau de Godefroi de Bouillon (le croisé le plus connu). J'étais en même temps fascinée par ce méli-mélo d'histoires, et émerveillée par la foi de Marie-Armelle.

Mais attention, elle ne raconte pas à la manière d'un livre poussiéreux. MAB, comme ses amis l'appellent, vit la passion du Christ. « Tu vois, cette pierre-là, c'est là où les femmes ont lavé le corps du Christ. Imagine, imagine un peu ce que cela représentait pour elles. Elles étaient toutes folles amoureuses de lui. Pire que des groupies de Claude François, et là elles pouvaient lui rendre un dernier hommage. Elles pouvaient enfin le toucher, l'avoir pour elles. Tant d'amour, moi, cela me bouleverse à chaque fois. »

Avec MAB, on oublie les dissensions entre les différentes églises qui se partagent les lieux. Car oui, c'est surprenant au départ, mais il y a plusieurs chapelles au sein de la basilique. Ici cohabitent l'église grecque orthodoxe, l'église catholique, l'église arménienne et l'église copte, l'église syriaque et les Éthiopiens. En tant que visiteur, on est vite perturbé par ces multiples paroisses pour le prix d'une. Mais avec Marie-Armelle, on revient à l'essentiel, l'histoire d'un homme qui prônait l'amour de son prochain.

Quelques heures plus tard, je faisais une autre jolie rencontre, Huda Al Imam, une femme d'une beauté rayonnante. Elle est directrice du Centre d'études palestiniennes de Jérusalem. Un sacerdoce en soi. Son objectif, son travail, consiste à sauvegarder le patrimoine palestinien. Comme ce magnifique hammam qu'elle est en train de restaurer. Une véritable épopée. Le gouvernement israélien n'étant pas trop motivé quant à l'aspect valorisation du patrimoine palestinien, ils ont envisagé, un temps, de confisquer ledit hammam. Au final, ils se sont contentés de mettre autant de bâtons dans les roues que possible mais Huda et le centre n'ont pas lâché prise. Jamais. Et, dans quelque temps, ce hammam accueillera des visiteurs, des concerts. Il reprendra vie.

Huda parle anglais, arabe, français, hébreu. Quand, dans un aéroport, elle remplit un formulaire, à la case pays d'origine elle écrit toujours Jérusalem. Elle a trop de mal à inscrire Israël. Et Palestine n'est pas non plus la meilleure dénomination. Jérusalem est son monde, son âme, sa vie, même si elle avoue que c'est profondément épuisant d'y vivre au quotidien.

Elle a souvent été arrêtée par la police israélienne car elle n'hésite pas à dire, dans toutes les langues, à tous les médias qui lui tendent un micro, combien il est difficile, pour le peuple palestinien, de « vivre sous l'occupation israélienne ». Inutile de préciser que son discours ne fait pas l'unanimité. Mais rien ne l'arrête. Elle dénonce l'injustice du quotidien, elle œuvre pour la sauvegarde de la culture et du patrimoine palestinien. Et inlassablement, elle utilise tous les vecteurs possibles pour que le monde n'oublie pas ces chefs-d'œuvre, qui sont bien souvent en péril.

Ainsi, chaque samedi, elle emmène des groupes faire des visites guidées thématiques. Aujourd'hui, nous sommes parties à la découverte des bibliothèques palestiniennes de la vieille ville. Avec Huda, on pousse des portes secrètes qui donnent dans des cours où se dissimulent d'autres portes pour arriver sur des balcons et des patios qui abritent d'autres maisons dont on n'aurait jamais soupçonné l'existence. Et c'est donc dans ces recoins si secrets que sont, parfois, sauvegardés des trésors inimaginables.

Comme ces manuscrits, vieux de plusieurs siècles. Nos yeux ont caressé les plans de batailles de Saladin, l'homme qui a délogé les croisés. Des couleurs superbement conservées et des calligraphies absolument renversantes. L'histoire est là, à porté de mains, protégée par des passionnés qui craignent pour le sort de leurs bibliothèques, tellement il est difficile de subsister.

Qui dit avoir du mal à subsister, dit manque de moyens pour les protections contre les incendies, panique quand un champignon commence à s'intéresser de trop près à un vieux livre, et aussi, tout simplement, difficulté d'entretenir une vieille bâtisse, et on sait combien les vieux livres ont besoin d'espaces sains !

Une des bibliothécaires racontait que, lorsque son père a voulu restaurer sa maison, il lui a fallu cinq ans pour obtenir l'autorisation. Quand, finalement, celle-ci est arrivée, le gouvernement israélien s'y est opposé. Il a alors fallu à nouveau cinq années de batailles judiciaires, qui n'ont pu se dénouer que grâce à l'intervention d'un célèbre archéologue israélien, Dan Bahat. Elle concluait, désabusée : « Dix ans de bataille, dix ans de perdus. Pour quoi ? Pour rien ! Juste pour avoir le droit de réparer sa maison. »

Aujourd'hui la jeune génération palestinienne n'a plus envie de se battre pour un patrimoine qui n'est que source de souffrances et de complications. Le rêve américain est passé par là et leurs idéaux disparaissent.

Au cours de ce périple, nous avons également rencontré le directeur du musée islamique qui jouxte la mosquée Al Aksa sur la fameuse esplanade des Mosquées. Cet homme, charmant au demeurant, semblait, lui aussi, tristement désabusé. Son musée entièrement refait à neuf depuis plusieurs années n'est toujours pas ouvert au public. Tout simplement parce qu'avec la pression israélienne, personne ne veut prendre le risque de signer un papier officiel nécessaire à l'ouverture du musée. Car si cela tourne mal, ce qui serait fort probable vu l'emplacement sensible, personne n'a envie d'en porter la responsabilité. Le musée reste donc fermé et inaccessible.

Cet homme est, par ailleurs, directeur d'une immense bibliothèque qui abrite les plus précieux livres de Palestine. Quelques ouvrages ont même plus de mille ans. Alors qu'il essaie d'en faire un lieu accueillant pour les chercheurs du monde entier, de proches collaborateurs lui disent régulièrement : « Mais, pourquoi tu te prends la tête avec ton classement ? Mets les grands livres avec les grands et les petits avec les petits. Quelle importance ? » Preuve, s'il en est, que le patrimoine palestinien n'intéresse plus grand monde.

Résigné, il conclut : « Ce que nous construisons, Huda et moi, eh bien, le jour où nous nous arrêterons, cela s'écroulera, car personne n'est là pour prendre le relais. » Non seulement la jeune génération a d'autres priorités, mais en plus les Palestiniens ne sont pas les meilleurs communicants pour faire avancer leur cause.

D'ailleurs, symboliquement, il a également évoqué l'histoire d'un arbre trois fois centenaire à proximité du musée. Cet arbre s'est mis à dépérir il y a quelques semaines.

Les employés du musée ont alors commencé à l'arroser de nuit pour lui donner quelques forces mais l'approvisionnement d'eau a été coupé par les Israéliens. Si l'arbre dépérit, c'est probablement parce que les racines sont endommagées par les travaux d'archéologie qui s'effectuent sous leurs pieds. En gros, les Juifs reprochent aux Palestiniens d'avoir construit par-dessus leur patrimoine, et ainsi fait disparaître de nombreuses traces de leur histoire. Les Palestiniens en veulent aux Juifs de ratisser sous leurs pieds pour partir à la recherche de leur passé. Complexe...

En même temps, pas mal de gens pensent qu'il y aurait moyen de s'entendre car il y a bien eu des époques où l'on cohabitait.

George est Arménien et fils de photographe. Il me montrait, un peu plus tôt dans la journée, une photo de 1936 où un Arabe dit la bonne aventure à un Juif extrêmement attentif. « Vous voyez, on s'entendait à cette époque-là. »

George possède mille six cent photos de son père qui montrent une Jérusalem plus sereine. En 1999, il en a fait un livre, *Jérusalem à travers les yeux de mon père*. Son père a eu la chance de le voir avant de mourir. Ému, celui-ci a déclaré : « Grâce à toi, on se souviendra de mon nom pendant longtemps. » Quand on sait qu'après le génocide arménien son père était le seul survivant de la famille, on mesure le degré d'émotion.

George a donc une petite échoppe dans la vieille ville, pas très loin de la Via Dolorosa. La devanture est sans âge mais elle attire le regard par ses photos anciennes. Qu'elles soient des années 1930 ou des années 1950, elles ont en commun d'avoir su capturer la fameuse lumière dorée de la ville.

Quand on entre, le vieil homme est le plus souvent en pleine conversation. Tout en aidant les clients à choisir l'image qui immortalisera leur voyage à Jérusalem, il leur raconte des histoires tellement personnelles qu'elles en deviennent universelles.

Lorsqu'on a évoqué ensemble les tensions dans la ville, George a eu une très belle image. « Jérusalem est une magnifique mosaïque avec les Juifs, les Palestiniens, les Arméniens, les Coptes etc. Enlevez un seul morceau et le paysage perd toute sa valeur, tout son sens. » Et pourtant, combien sont ceux qui y croient vraiment ?

Heureusement, il y a aussi de jolis sourires de la vie. Hier soir, je prenais une bière avec un épicier chrétien. Les clients venaient faire leurs courses de fin de semaine. Cinq jeunes Allemands, visiblement habitués des lieux, sont arrivés. Quand ils sont partis, l'épicier m'a expliqué qu'ils faisaient du bénévolat à l'hôpital français Saint-Louis. Car, depuis bien des années, les jeunes Allemands sont nombreux à venir offrir de leur temps aux Juifs en fin de vie. Plutôt touchant et courageux.

Mais comme le soulignait Marie-Armelle, ces Allemands, soucieux de racheter leur passé, sont tellement focalisés sur les Juifs, qu'ils passent, bien souvent, à côté de la réalité palestinienne.

Ce qu'il faut savoir, c'est qu'à Jérusalem, il existe deux lieux emblématiques où les Juifs et les Arabes se côtoient. Il y a la maternité d'Hadassah ouverte aux juives et aux Arabes. Ici, les femmes qui accouchent de leur premier enfant ont droit à la salle vitrée, avec une vue plongeante sur la ville. Ainsi, dès la naissance, l'enfant est baigné dans l'extraordinaire lumière de Jérusalem.

Et puis, l'autre lieu où les Juifs et les Arabes se retrouvent, c'est donc cet hôpital Saint-Louis, dans l'unité de soins palliatifs. Entre les deux : tiraillements, souffrances et incompréhensions.

Difficile de ne pas penser à la phrase que les catholiques prononcent pour le mercredi des Cendres : « Souviens-toi que tu es né poussière et que tu redeviendras poussière. »

# 5

AUJOURD'HUI, j'ai sorti ma tenue du dimanche. Traduction : jupe jusqu'aux chevilles, manches longues et foulard. Comme je ne vais pas forcément me balader comme cela tous les jours, j'ai décidé de faire le tour des lieux qui nécessitent un tel accoutrement.

À ce propos, Marie-Armelle m'a fait remarquer qu'à Jérusalem, on reconnaît une touriste au fait qu'elle ait les épaules découvertes. À bon entendeur...

Première étape : l'esplanade des Mosquées. Son accès est limité, les horaires bien précis, et parfois la queue interminable. Je n'ai pas pris de risque et, dès 8 heures, j'étais sur le pied de guerre. Pour accéder à l'esplanade, il faut passer à proximité du Mur des lamentations et passer un contrôle de sécurité. Les agents ont tous tiqué sur mon livre (*Ô Jérusalem*, un classique qui raconte l'histoire de la naissance d'Israël). On m'a alors demandé, pas moins de trois fois, si ce n'était pas une Bible. Visiblement, la Bible, c'est comme la pince à épiler à l'aéroport, cela reste au portique de sécurité.

Après le contrôle passé, on traverse une passerelle en bois complètement fermée. Un petit coup d'œil à travers les planches permet de voir le Mur des lamentations sous un angle nouveau. Nous sommes nombreux et avançons assez doucement. Jusqu'à ce qu'arrive une bande de cinq Français d'une vingtaine d'années, kippa sur la tête, jouant des coudes. « Poussez-vous, poussez-vous, laissez passer les vrais habitants de cette ville ! » Sentiment de malaise.

Une fois arrivée sur l'esplanade, je me suis posée quelques minutes à côté d'eux pour entendre leur conversation. Ils étaient en fait tout émoustillés à l'idée d'aller voir, enfin, ce qu'il y avait sur cette esplanade. Visiblement, ils fantasmaient depuis leur enfance et, enfin, ils se sentaient homme pour y aller. Un peu comme des ados qui iraient à Pigalle en cachette de leurs parents.

« Dis, tu nous montreras le petit trou pour voir à l'intérieur, hein ? » a demandé le plus jeune à son copain, qui était visiblement déjà venu. « On verra », lui a-t-il répondu sur un ton aussi sérieux que mystérieux. Au final, ils étaient probablement plus jeunes que méchants.

Après les enchevêtrements de la vieille ville, ce jardin de 150 000 m² est une énorme bouffée d'oxygène. Des petites allées, des oliviers plusieurs fois centenaires et des perspectives magnifiques. Si, le matin, elle est accessible aux non-musulmans, c'est parce que le Dôme du Rocher et la mosquée Al Aksa sont fermés. C'est sur cette même esplanade que se trouve le fameux musée islamique fermé à tous.

Les restrictions d'accès à l'esplanade sont liées à la visite de Sharon, en l'an 2000. À l'époque, il était venu prier, visiblement pour faire un coup politique. Mal lui en a pris, ce fut le déclenchement de la deuxième intifada. Peut-être qu'un jour la situation évoluera et, de nouveau, ces lieux de prières seront plus ouverts. En attendant, il semble que certains juifs religieux à tendance extrémistes viennent aux heures d'ouverture prier sur l'esplanade. Puisque leur temple était là auparavant, ils estiment avoir le droit de venir prier au plus près de son emplacement. Comment ne pas y voir une nouvelle provocation du point de vue musulman ?

Quand j'ai dit à Mahmoud du magasin d'antiquités que je voulais me rendre à l'esplanade des Mosquées, il m'a proposé un guide qu'il a qualifié « d'exceptionnel », à savoir son oncle, instituteur à la retraite qui, pour joindre les deux bouts, aime partager ses connaissances de la vieille ville. Nous nous sommes donc retrouvés devant la mosquée Al Aksa. L'homme doit avoir dans les 65 ans. Un pantalon à pince, une chemise à carreaux, une élégance naturelle sans le moindre signe religieux. Pourtant, je sens immédiatement son malaise quand il comprend que je suis une femme non accompagnée. À partir de là, il va veiller à marcher à une certaine distance et son regard ne croisera qu'accidentellement le mien. Peu importe, ses explications sont précieuses.

J'apprends ainsi que la mosquée Al Aksa est le lieu de prière. Le Dôme du Rocher est le lieu de commémoration. La première peut recevoir cinq mille fidèles et ne va pas tarder à connaître sa saison haute, en août, au moment du ramadan. Le Dôme du Rocher abrite le Rocher duquel Mahomet est monté au ciel. Nous voici donc sur le deuxième lieu saint de l'Islam après la Mecque. Ici, une prière vaut cinq cent fois plus qu'ailleurs (mille fois pour la Mecque). À ce moment-là, l'instituteur à la retraite se tourne vers moi et déclare solennellement : « Pas question de prier quelqu'un d'autre qu'Allah ici ! » Devant mon air interrogateur, il rajoute : « *You can't pray Jesus here*[1]. » OK, ça marche, message reçu !

Donc, le Dôme du Rocher… Alors, bien sûr, il y a ce toit doré qui se marie à merveille avec l'incroyable lumière de Jérusalem, mais une fois face à lui, c'est comme une explosion de couleurs. Ses céramiques jaunes, vertes, bleues, rouges sont d'autant plus fascinantes que, depuis mon arrivée à Jérusalem, tout se conjugue en beige clair. Le monument et les couleurs semblent tellement modernes qu'il est difficile de croire que cela date du VIIe siècle.

---

1. « Vous ne pouvez pas prier Jésus ici… »

Chacune des fenêtres est obstruée par des moucharabiehs ; pour avoir une idée de la magnificence intérieure, il faut se contenter de regarder par des petits trous de trois centimètres de diamètre, et il n'y en a qu'un seul par fenêtre. Autant dire que l'on ne voit rien, mais c'est à se demander dans quelle mesure cela ne rajoute pas à la magie des lieux.

Mon guide semble de moins en moins à l'aise. Alors, quand je lui dis que je souhaite déambuler un peu plus longtemps sur l'esplanade, il ne demande pas son reste et file à vive allure.

Presque à aussi vive allure que les juifs ultra-orthodoxes qui traversent le souk. En effet, les habitants du Mea Shearim, le quartier ultra-orthodoxe le plus célèbre de Jérusalem, doivent traverser le quartier arabe de la vieille ville pour se rendre au Mur. Telles des tornades, ils accrochent un peu de tout sur le chemin sans y prêter attention. La raison ? Rien, ni les bruits ni les odeurs, et encore moins les femmes, ne doivent les détourner de Dieu sinon leur prochaine prière serait impure. Leurs vêtements du XIX$^e$ siècle attirent immanquablement le regard.

Je profite de ma tenue quasi religieuse à jupe longue pour aller explorer Mea Shearim. Et pour le coup, le chauffeur de taxi arabe a du mal à comprendre ce qui peut bien m'attirer dans un endroit pareil.

Mea Shearim, un autre monde, une autre époque. Tout est évidemment en hébreu ou en yiddish, sauf les immenses affiches donnant les consignes vestimentaires pour les femmes de l'extérieur : jambes couvertes, bras couverts et ce qu'ils appellent une tenue « modeste ».

Malgré ma tenue parfaitement adéquate, je sens très vite les regards fuyants. Comme il semble assez évident que je n'apprendrai rien de ces gens qui déambulent dans la rue, je décide d'entrer dans un magasin qui affiche « livres en français » et j'en ressors avec un ouvrage de conseils aux femmes. Sa lecture est strictement interdite aux hommes.

Le principe de vie est assez simple : chacun, dans le couple, doit s'occuper à parfaitement remplir ses propres devoirs. Et si, par hasard, l'un dévie, l'autre se doit, de son côté, de redoubler de zèle par la prière, la repentance, le travail... Par exemple, si votre mari boit, vous vous devez de travailler plus et de prier plus. C'est le meilleur moyen d'avoir l'attention et le soutien de Dieu.

Installée dans un fast-food de la chaîne Holy Bagel (comment passer à côté quand on est à Jérusalem ?), je peux à la fois me plonger dans mes lectures et regarder le monde vivre autour de moi.

Sans dévoiler tous les secrets de l'ouvrage, j'ai appris qu'une femme ou un homme seul(e), ne mérite pas l'appellation d'*homme*. Car on accède à la présence divine seulement par le biais du mariage. Et sans présence divine, nous ne sommes pas un humain à part entière.

La télévision et Internet sont proscrits car ils n'apportent que troubles et pensées impures. Et une fois mariée, il vaut mieux réduire au maximum les contacts avec les copines, car elles sont forcément sources d'embrouilles en tout genre. Idem, il est hautement recommandé de garder une grande distance avec les deux belles-familles qui ne sont pas des sources de paix dans un couple ! (Pour ce dernier point, on peut concéder une certaine sagesse universelle.)

J'ai, en tout cas, la possibilité d'observer, cachée derrière mes lunettes de soleil, ces femmes avec foulard ou perruques et ces hommes en redingote et chapeaux noirs. On remarque bien des subtilités dans leurs tenues, autant d'indices sur leur appartenance religieuse.

Est-ce que ces gens se posent beaucoup de questions sur le sens de la vie ? Tout est écrit pour eux, tout est volonté de Dieu pour le bien de la famille et de la communauté.

Et s'il y a un doute, un questionnement, le rabbin est là pour donner la (sa ?) réponse. Un lâcher-prise qui doit forcément avoir certains avantages. Pas d'introspection, moins de doutes, une notion du bonheur et du couple plus simple, et peut-être même plus accessible.

Cela dit, on comprend mieux pourquoi les ultra-orthodoxes refusent toutes les conversions. Qui pourrait adhérer à ces principes de vie si stricts, s'il n'a pas baigné dedans depuis le plus jeune âge ?

Évidemment, au bout d'un moment, l'atmosphère me semble étouffante. Cette hostilité sous-jacente me pèse. Une envie de retrouver mon monde, mes propres repères. Je décide de terminer mon périple dominical par une escale dans une enclave française de Jérusalem : l'église Sainte-Anne, un morceau de France en bordure de la vieille ville. Ancien bâtiment croisé, cette basilique romane est installée sur le lieu de naissance de Marie et à côté de la piscine du « Lève toi et marche ! »

Je ne veux pas faire ma chauvine primaire, mais Sainte-Anne est un petit coin de paradis. Un minuscule jardin botanique et une église stupéfiante par sa sobriété et son atmosphère extraordinaire. J'ai cru que je n'allais jamais repartir. Sérénité maximale. Pas une sculpture si ce n'est celle de Sainte-Anne et Marie. Les pierres de Jérusalem, une lumière divine. Ici, il est interdit aux guides de faire des commentaires à l'intérieur (merci !), mais, par contre, n'importe quel fidèle a le droit de chanter pour expérimenter l'acoustique exceptionnelle des lieux. Et c'est ainsi que je me suis retrouvée aux premières loges du récital d'une chorale coréenne. Les chrétiens ont vraiment des enclaves dans tous les pays du monde.

**Blog de Michaël Blum**

*Michaël Blum est un journaliste francophone qui vit dans une colonie proche de Jérusalem.*

Lundi 1ᵉʳ novembre 2010
Faut-il avoir peur des Haredim ?

Certains journaux titrent sur les allocations pour les Haredim faisant ainsi sortir les étudiants dans la rue, d'autres évoquent le taux de natalité galopant qui va transformer l'État d'Israël en État taliban, qu'en est-il véritablement ?

Le mot Haredi vient de *harada* en hébreu qui signifie « crainte » ou « peur ». Les Haredim sont des « craignant Dieu ».

Depuis que le Hatam Sofer au XVIIIᵉ siècle a tranché que « le nouveau est interdit par la Torah », le monde juif orthodoxe s'est replié sur lui-même, malgré la tentative des élèves du rabbin Samson Raphaël Hirsch de diffuser le courant d'orthodoxie moderne qu'il avait créé en réaction à la Haskala assimilationniste.

Pour faire vite, on peut considérer qu'il existe aujourd'hui en Israël quatre courants Haredim : les Lituaniens (Degel Hatorah), les Hassidim (Agoudat Israël), les Séfarades (Shass) et les Haredim nationalistes (Tekouma). S'ajoutent à ces quatre groupes représentés à la Knesset les Haredim antisionistes de la Eda Haredit et les membres de Chabad, un mouvement qui a ses propres règles, parfois très éloignées de celles du monde Haredi.

Si ces dernières années on a pu assister à des manifestations géantes pour empêcher l'ouverture d'un parking durant le shabbat, éviter la prison à une mère de famille suspectée de maltraitance ou pour défendre la ségrégation religieuse à Imanuel, on peut également constater des changements fondamentaux dans la relation entre le monde haredi et la société israélienne.

On évoque souvent le « chantage » exercé par les partis politiques religieux sur les différentes coalitions, qui ressemble beaucoup au « chantage » des autres partis. On appelle ça, en général, des négociations, mais pour les Haredim, c'est du chantage !

La haine contre les Haredim dans ce pays atteint des niveaux rares, bien que le seul parti anti-haredi à s'être présenté aux dernières élections (Shinouy) n'ait pas réussi à entrer à la Knesset.

Je pense que la véritable crainte qu'ont les laïcs du monde Haredi ne vient pas de la tendance de ce monde à se refermer sur lui-même, mais au contraire de son ouverture.

Certes, il existe des groupes militants pour des lignes de bus séparées, contre l'utilisation d'Internet et pour le rejet des valeurs modernes, mais le monde haredi se rapproche de plus en plus, à la fois de la modernité, et du sionisme.

Quelques exemples : le Nahal Haredi, une unité de l'armée composée de Haredim (souvent issus de milieux sionistes religieux d'ailleurs) ; le projet Shahar Kahol qui permet d'engager des soldats Haredim comme techniciens de l'armée de l'air ; la multiplication de sites haredim d'actualité, dont certains de qualité ; la création d'une Yechiva haredit qui prépare aux épreuves du bac à Beit Shemesh ; le nombre croissant de centres d'études pour apprendre un métier, et pas seulement réservés aux femmes (Mahon Haredi Leakhshara Miktsoït) ; la présence de députés orthodoxes dans des commissions parlementaires autres que celles concernant leur public uniquement (environnement, sciences et technologies...) ; les associations caritatives et sociales tournées vers tous publics comme Ezer Mitzion, Zaka, Yad Sarah,... ou encore la présence de journalistes Haredim dans la presse générale comme Coby Arieli ou Sivan Rahav-Meïr, j'en passe et des meilleures.

*\*\**

Au lieu de stigmatiser toute une population en la mettant au ban de la société israélienne, il est temps d'apprendre à connaître le monde haredi.

Il ne faut pas avoir peur des Haredim, il faut apprendre à les aimer car ils ne sont pas si différents de nous.

Dernier point, les allocations prévues par le gouvernement ne sont pas prises sur un budget prévu pour les étudiants et concernent uniquement les chômeurs, pères de plus de trois enfants et vivant en dessous du seuil de pauvreté.

Il s'agit d'une subvention de sept cents shequels par mois.

# 6

ÇA Y EST ! J'ai réussi ! J'ai pu pénétrer dans le Dôme du Rocher. Extraordinaire !

Mais reprenons le fil des événements. Avec Tonetta, l'Américaine, et Margaret, une Australienne qui loge aussi au couvent, nous sommes parties à l'assaut du mont des Oliviers. Et à pied, je vous prie. Car finalement, c'est comme la tour Eiffel, quel intérêt d'aller tout en haut si on ne prend pas les escaliers ?

Première étape, le cimetière juif. C'est ici le meilleur lieu de vie post mortem. Car, selon la tradition juive, lorsque le Messie viendra, ce sont précisément ces tombes-là qui seront les premières reçues au paradis. On parle de deux cent à trois cent mille tombes dont certaines datent de trois mille ans. C'est la plus grande et la plus ancienne nécropole juive au monde.

Et il faut admettre que la vue éternelle sur Jérusalem vaut le détour. En revanche, le règlement est formel, il faut être juif pour y être enterré, et même le grand Oskar Schindler n'a pas eu de dérogation. Il repose donc à Jérusalem dans un cimetière catholique où les Juifs viennent régulièrement lui déposer une pierre, gage de leur attachement.

Nous avons ensuite fait une pause aux jardins de Gethsémani. Le nom vous évoque quelque chose ? Et pour cause, selon les Évangiles, c'est ici que Jésus et ses apôtres ont prié avant la crucifixion. Ici, les oliviers sont plus que centenaires. On raconte que certains dateraient de l'époque du Christ. Il paraît même que l'université de Californie s'est penchée sur la question et aurait confirmé, après analyse scientifique, l'âge de 2000 ans. Ils ont, en tout cas, des troncs impressionnants et respirent la sérénité du grand âge.

Nous avons aussi fait étape à la mosquée de l'ascension où le même Jésus est monté au ciel. On peut y voir une empreinte dans la pierre, signe de son passage. Le lieu est musulman car Jésus est un prophète également reconnu par leur religion. Mais chaque année, pour l'ascension, les musulmans ouvrent les portes aux chrétiens. Cette minuscule mosquée d'une sobriété absolue s'est avérée idéale pour une pause silencieuse avant d'aller refaire le monde, en buvant une bière sans alcool, sur une terrasse dominant Jérusalem.

Issam, de l'Église arménienne, m'avait plusieurs fois proposé de sortir. J'ai profité de l'occasion pour l'inviter à rejoindre notre escapade entre filles, que nous avions prévu de terminer à Jérusalem ouest, traduire : côté juif. Le pauvre ne s'attendait pas du tout à se retrouver plongé au cœur de la jeunesse dorée israélienne.

Il y a deux cent mille Arabes dans Jérusalem, mais ceux qui vivent dans la vieille ville ne sortent presque jamais de leur « village » et, s'ils s'en éloignent, ce n'est sûrement pas pour aller dans le brouhaha festif de Jérusalem ouest. Au début, il a plaisanté en disant que c'était comme des vacances, puis, peu à peu, au fil de la soirée, son visage est devenu plus grave.

Ce fut, en tout cas, un dîner pour le moins cosmopolite, avec Tonetta, l'Afro-Américaine ultra *politicaly correct*, Margaret, l'Australienne de Sydney, spécialiste de la déficience mentale, à l'humour ravageur, et puis notre Palestinien, « concierge » d'une église de la Via Dolorosa. Tout ce petit monde dans un restaurant casher. Issam nous a servi d'interprète mais a refusé de manger « leur » nourriture. Puis, guidé par sa fierté toute masculine, en douce, il est allé payer la note. Beaucoup nous séparait, et pourtant nous avons passé une soirée où s'alternaient rires et discussions sérieuses, regards sur la vie et excellentes plaisanteries.

Quand nous avons senti qu'Issam commençait à s'impatienter, nous lui avons redonné les rennes pour qu'il nous emmène dans le bar de son choix. Et c'est ainsi que nous nous sommes retrouvés, porte de Jaffa, à l'entrée de la vieille ville. Il nous a installés dans un passage couvert, type XIXᵉ siècle à Paris, digne d'un film. Issam boit de la bière. Car Issam n'est ni croyant ni pratiquant, même si sa famille est musulmane. À l'allure où il commande ses bières, je réalise que, bien que revenu en terrain connu, Issam n'est pas totalement à l'aise avec nous. Trois femmes aux caractères bien affirmés, c'est sans doute trop pour lui, alors il compense. On sent pointer un léger agacement, par moment, doublé d'une petite agressivité. Il est temps de rentrer. Issam veut se commander une dernière bière. Alors que nous partons toutes guillerettes vers notre couvent, nous le laissons en tête à tête avec sa solitude.

Mais ça, c'était hier. Ce matin, j'avais donc rendez-vous avec mon « passeur » pour le Dôme du Rocher qui, je le rappelle, est interdit aux non-musulmans. J'avais tâté le terrain auprès de différentes personnes, espérant une dérogation, mais j'avais fait chou blanc.

Pourtant, une petite voix intérieure m'envoyait des messages rassurants, il suffisait de suivre mon instinct. J'avais d'abord demandé à Mahmoud. Interloqué, il m'avait répondu : « Mais tu y es déjà allée avec mon oncle. – Non, Mahmoud, je veux aller à l'intérieur du Dôme du Rocher. » Il avait secoué la tête en baissant les yeux. « Mais non, tu ne peux pas, tu n'es pas musulmane et, en plus, tu es une femme. C'est impossible, oublie. »

Sauf que ma petite voix intérieure s'entêtait. J'ai demandé à tous les interlocuteurs vers qui le hasard me portait. Puis, je suis retournée voir Issam pour également tenter ma chance. « Pourquoi tu me demandes cela à moi ? – Ben, je ne sais pas, pour avoir une réponse. » Il a alors plissé les yeux. Son regard était plus perçant que jamais. « Non, mais vraiment, qui t'envoie ? – Ben, personne. – Je veux bien t'aider Katia, mais pas si tu me mens. » Là, j'ai commencé à me sentir mal à l'aise, comme s'il y avait quelque chose qui me dépassait. « Tu es sûre que personne ne t'a dit de me parler ? »

Issam a alors fini par m'avouer qu'il s'apprêtait à envoyer une demande de dérogation, signée par quelqu'un d'important. Ce papier qui devait permettre à un curé et deux journalistes italiens de rentrer au Dôme du Rocher, il l'attendait depuis plus de huit mois. Et c'était ce jour précisément qu'il devait le faxer.

Il a alors suffi de rajouter mon nom sur la liste et le lendemain matin, à 8 heures, je pénétrais enfin dans le Dôme du Rocher.

J'ai déjà, à travers mes voyages, visité pas mal de mosquées. J'en ai même filmées de très belles. Mais là… Je dois avouer que, de ma vie, je n'ai jamais vu des représentations de l'art islamique aussi époustouflantes. Les mosaïques sont d'une finesse probablement jamais égalée, les couleurs, les marbres, l'atmosphère. Étincelant sans être ostentatoire, grandiose sans être grandiloquent, on pénètre dans ce monument de l'art islamique sans être intimidé. Comment serait-ce possible de le raconter ? De le décrire ?

En fait, ce qui est fascinant, c'est qu'au premier coup d'œil, on se dit « ah ouais ? ! » sans être véritablement impressionné. Au deuxième coup d'œil, on commence à percevoir quelques détails, comme les touches de doré, ici et là, les verres teintés. Puis, au troisième regard, on réalise qu'on pourrait passer des heures, des jours à scruter chaque détail.

J'ai pu, bien sûr, voir le fameux rocher et accéder à l'espace de prière, en dessous. Une toute petite grotte d'une sobriété absolue. Est-ce les millions de fidèles qui s'y pressent depuis le VII$^e$ siècle ou bien le fait d'y avoir pénétré seule ? Toujours est-il que j'ai vécu un moment d'une rare plénitude. J'ai repensé au guide qui me disait qu'il ne fallait pas prier quelqu'un d'autre qu'Allah dans ces lieux. J'ai souri car, à cet instant, je me sentais capable de prier. Allah, Jésus, ou même tout simplement l'univers. À cet instant précis, j'étais à ma place, enveloppée d'une sérénité totale que j'aurais aimé expérimenter pendant des heures.

Avant de quitter l'esplanade, nous avons eu la possibilité de jeter un coup d'œil à la mosquée Al Aksa qui, dans un autre genre, est également impressionnante. Elle est interdite aux fidèles ces jours-ci car on y change les tapis en vue du ramadan. Nous étions donc au cœur des coulisses. Avec, en prime, des oiseaux qui virevoltaient au-dessus de nos têtes. Al Aksa a été construite en partie sur des ruines byzantines. Elle a une physionomie plus sobre que le Dôme et probablement plus facile à appréhender pour nous, chrétiens.

À la fin des années 1930, un tremblement de terre a détruit une partie de la mosquée (elle était plus grande avant). Étrangement, le Dôme du Rocher n'a pas été touché. Quand il a fallu refaire certaines colonnes de la mosquée, on a opté pour le marbre de Carrare, en Italie, reconnu comme le plus blanc, le plus beau, le plus pur.

Mussolini, alors au pouvoir, a souhaité faire un geste et il en a donc fait cadeau. Aujourd'hui, les guides du coin préfèrent dire que c'est un présent de l'Italie sans forcément mentionner le nom du dirigeant.

La mosquée Al Aksa est le lieu de prière des hommes et, pendant le ramadan, on demande aux femmes de se recueillir au Dôme du Rocher. Pour une fois, elles ne sont pas forcément perdantes.

Pour la visite, il y avait donc nos trois Italiens et trois visiteurs américains envoyés par l'ONU. Un couple de médecins et un guide, avec qui j'ai échangé quelques mots. Quand j'ai appris qu'ils partaient pour Bethléem, j'ai souri, car c'était aussi ma destination de l'après-midi. Ils m'ont immédiatement proposé de monter à bord de leur van climatisé et je les ai, en retour, invités à se joindre à moi pour la visite privée de la basilique de la Nativité, que je m'apprêtais à faire avec un copain de Marie-Armelle.

Avant d'y parvenir, nous avons dû passer le *check point*. Je me sentais à la fois rassurée et, en même temps, honteuse. J'avais l'impression d'être une horrible gamine gâtée dans son van de luxe, genre une petite Américaine de 12 ans qui aurait déjà son Blackberry et son sac Vuitton. Nous avons dépassé des dizaines de Palestiniens en train de faire la queue à pied ou en voiture.

Nous avons longé le mur de séparation. Immédiatement, le silence s'est fait. La bonne humeur a laissé place à l'incompréhension. Le cœur serré, nous scrutions chacun des graffitis. Ici, une petite fille qui fouille un militaire, là, une échelle qui descend du ciel pour enjamber le mur, ailleurs, des affiches de portraits de Palestiniens et de Juifs qui font des grimaces… Ces graffitis, ces photos, visent à faire disparaître ce mur tout en exprimant, aussi fort que possible, l'espoir de le voir un jour détruit.

Avec ou sans décorations, ce mur pèse lourd. Et je n'ai pas pu m'empêcher de repenser au mot « apartheid » que j'ai entendu à plusieurs reprises. La veille, j'avais rendez-vous avec un conseiller municipal de Jérusalem, juif religieux. Je souhaitais connaître les différents projets de la municipalité. J'avais profité d'une discussion assez détendue pour lui demander ce qu'il pensait du mur.

« Que vous dire ? Cela a résolu notre problème, il n'y a plus d'attentat et la criminalité a drastiquement baissé.

Alors oui c'est une solution pour nous. » Il résumait probablement assez bien la pensée modérée du coin.

Mais revenons-en à Bethléem et à la basilique de la Nativité. Quelle sensation bouleversante que de fouler une terre dont on a toujours connu le nom sans jamais pouvoir l'imaginer autrement qu'à travers les dessins naïfs des livres de catéchèse à l'école !

J'avais rendez-vous avec frère Stéphane, un grand gaillard français de l'ordre des Franciscains. Rapidement, j'ai repéré l'étincelle malicieuse dans ses yeux. Il se doute bien qu'avec sa stature, son aube marron et son rôle incontournable à la basilique, il a de quoi impressionner. Et il s'en amuse avec plaisir. « Ah bon, Marie-Armelle vous a dit de m'embrasser ? Et vous ne le faites pas ? » Je rougis. Je me hisse sur la pointe des pieds. J'ai 8 ans de nouveau. Il rit et nous invite donc à pénétrer dans une des plus vieilles églises du monde.

Nous avons découvert un lieu, comme on dit, « dans son jus ». Avec des traces de l'empereur Constantin, c'est une église byzantine dans un état exceptionnel qui lui vaut, depuis peu, d'être classée au Patrimoine mondial de l'Unesco.

Avec ce frère passionnant, nous avons visité les moindres recoins, de la grotte de la naissance à une étonnante balade sur les toits. Ce fut un voyage dans le temps exceptionnel. Était-ce le guide ? Était-ce la tranquillité ? J'ai, en tout cas, été bien plus bouleversée par les lieux que par le Saint-Sépulcre.

Nous avons également participé à une procession particulièrement sereine sur les différentes étapes de la naissance du Christ. Car, comme le disait frère Stéphane, « si au Saint-Sépulcre, c'est tous les jours Pâques, ici, c'est tous les jours Noël. »

Pour le « vrai » Noël, ils enchaînent huit heures de liturgie avec des dizaines de prêtres. Inutile de dire que la foule, venue du monde entier, est plus que compacte. Une légère accalmie et il faut remettre cela pour l'Épiphanie, car les Rois mages, c'est évidemment là qu'ils sont venus.

Le lieu même de la naissance est symbolisé par une étoile à quatorze branches. On vient l'embrasser ou la caresser, au choix. À deux pas, l'emplacement de la mangeoire où Jésus a été déposé. Comme au Saint-Sépulcre, l'église est divisée entre plusieurs paroisses. Les Franciscains sont ravis d'être responsables de l'emplacement de la mangeoire car finalement, comme ils aiment le souligner, c'est là que Jésus a passé le plus de temps.

Étrangement, cette basilique a été préservée par le temps. Les musulmans ne l'ont pas détruite, les croisés ne sont pas restés assez longtemps pour la transformer en église romane et, aujourd'hui, les Palestiniens y tiennent beaucoup car c'est leur patrimoine le plus précieux.

Les Franciscains utilisent les bénéfices des pèlerinages pour subvenir aux besoins des Palestiniens. L'école de Bethléem est, entre autres, la plus ancienne école catholique au monde et elle permet à plus de deux mille élèves d'avoir accès, gratuitement, à l'éducation. Dans une ville ravagée par le chômage et la détresse, pas de doute, cela fait la différence.

Quelques heures plus tard, de retour à Jérusalem, alors que la lumière du soir devenait plus dorée que jamais, comme chaque jour, les cerfs-volants envahissaient le ciel. Ici l'un, aux couleurs de la Palestine, là un autre, aux couleurs d'Israël. L'occasion, pour une fois, de partager un peu de légèreté !

# 7

J E SUIS LÀ depuis une semaine et j'ai l'impression d'y être depuis deux ou trois fois plus longtemps. Chaque rencontre est une nouvelle aventure et suscite des questionnements supplémentaires. Comprendre l'autre, essayer de se mettre à sa place. Une utopie totale mais néanmoins nécessaire pour être sur le bon mode de communication et, surtout, ne pas offenser son prochain par une attitude dont on n'aurait même pas conscience en temps normal.

À ce titre, les conversations avec Issam sont parfois un exercice de haute voltige. Pour le remercier de m'avoir permis d'entrer au Dôme du Rocher, je lui ai proposé de l'inviter à dîner. Il a refusé catégoriquement. Pour lui, laisser une femme payer est probablement la pire des humiliations. Alors, comment traduire ma gratitude ? « Viens avec moi prendre un verre ce soir, me dit-il. Cela me fera vraiment plaisir. Mais surtout, promets-moi de ne pas essayer de payer. »

J'aime beaucoup Issam, il me fait rire, il a toujours un avis pertinent sur tout. Un mélange de bon sens et de recul qui donne envie d'aborder de nombreux sujets. En même temps, en sortant le soir avec lui, je n'ai pas envie d'envoyer les mauvais signaux. D'un autre côté, je veux quand même le remercier pour ce qui restera un souvenir inoubliable. Je le laisse choisir l'endroit. J'imagine qu'il va m'emmener dans un boui-boui à l'atmosphère moyen-orientale. Eh bien non ! Il choisit un hôtel d'une chaîne américaine. Au moment de passer la porte d'entrée pour pénétrer dans l'immense lobby, il met le bras autour de mes épaules. Malgré ma surprise, je remarque immédiatement son attitude pseudo-décontractée et résolument fière. Gentiment mais fermement, j'enlève son bras. Non, non, je ne suis pas le dernier gadget que l'on exhibe.

Deuxième surprise, le lieu. Au premier coup d'œil, on a l'impression d'être dans n'importe quel hôtel d'Europe ou d'Amérique du Nord. Puis, à bien y regarder, il y a partout des juifs orthodoxes et des enfants malades, en pyjama, équipés de perfusion. Cette enseigne, qui semble être le summum du chic pour Issam, se situe en fait à proximité de plusieurs hôpitaux.

Nous nous installons. Il fait signe au maître d'hôtel. Visiblement, ils se connaissent bien. Ils plaisantent en arabe en me jetant des coups d'œil. J'avoue que je ne suis pas franchement à l'aise. Puis, finalement, le copain me sourit et semble traduire : « Issam m'a dit que vous êtes quelqu'un de spécial, il veut le meilleur pour vous. Alors, c'est ma mission, ce soir. »

Ah oui ? Vraiment ? Peu à peu, l'atmosphère semble s'alléger. Nous reprenons nos discussions. Issam a du mal à comprendre pourquoi c'était si important pour moi de voir le Dôme du Rocher. Il y a tellement d'expériences plus riches à vivre. « Comme quoi ? – Eh bien, je voudrais que tu viennes camper avec mes amis bédouins dans le désert. – Euh non, cela ne va pas être possible. »

Issam fronce les yeux, mi-surpris, mi-agacé. « Mais pourquoi donc ? – Parce que je ne veux pas, je ne peux pas. – *You are strrrrong woman, why do you say no*[1] ? » Je *say no* parce que là, on atteint les limites de mes possibilités, et d'une certaine manière, de ma sécurité. Alors, pas à pas, j'essaie de le mettre à ma place, « *in my shoes* », comme disent les anglophones.

---

1. « Tu es une femme forte, pourquoi tu dis non ? »

J'essaie de lui expliquer ce que c'est que d'être une fille et de voyager seule. Mais clairement, je semble lui en demander trop. Il finit par dire « OK, OK, tant pis pour toi ». Quelque part, nos différences culturelles nous fascinent, nous amusent, mais nous finissons assez vite par nous heurter à leurs limites. Et encore une fois, pour y faire face, Issam accélère la consommation de bière. Et comme la dernière fois, je préfère le laisser et rejoindre le calme de mon couvent.

Je ne suis donc pas partie avec les Bédouins mais cela ne m'a pas empêchée d'aller dans le désert. Ce matin, au saut du lit, Marie-Armelle a proposé de m'embarquer à l'inauguration du lieu de baptême de Jésus, à la frontière de la Jordanie.

Je n'étais pas trop sûre d'avoir compris ce que j'allais voir mais, ce qui est certain, c'est qu'une virée avec Marie-Armelle, cela ne se refuse pas. Nous avons donc embarqué à bord de sa Golf avec climatisation naturelle. Traduire : fenêtres ouvertes, quelques réserves d'eau, direction : là où il va faire encore plus chaud.

Nous avons dépassé Jéricho et nous voilà donc à quelques centaines de mètres de la Jordanie. *Check point*. Andréa, la journaliste allemande qui nous accompagne, n'est pas sur la liste. Dommage, c'est pourtant elle qui est censée être notre point d'entrée. Discussion avec les militaires. Vérification des passeports et des cartes de presse.

Et comme rien ne ressemble plus à deux blondes aux yeux bleus que deux blondes aux yeux bleus, avec beaucoup d'autorité, le militaire valide la carte de presse d'Andréa avec mon passeport...

Une fois le *check point* passé, nous sommes obligées de garer la voiture au parking pour prendre un minibus qui va nous mener à la cérémonie. Question de sécurité sans doute. Nous sommes en plein cœur du désert. À l'horizon, quelques églises aux toits dorés annoncent la présence d'un lieu saint. Autour de nous, rien. Ou presque. Car derrière les grillages qui nous entourent, des champs de mines. C'est bien la première fois que je navigue en terrain miné, au sens militaire du terme.

On raconte qu'en cas de pluie, ces mines pourraient être déplacées par la terre instable. Dieu merci, il fait largement plus de 35 °C et le désert est aussi aride qu'on peut l'espérer.

Nous arrivons sous une tente grand luxe avec comme musique d'ambiance : Frank Sinatra. Étonnant comme BO, pour les festivités du jour. Aujourd'hui, ce n'est ni plus ni moins que l'ouverture officielle du lieu où Jésus a été baptisé. Pour la première fois, il devient entièrement, et officiellement, accessible aux pèlerins.

Avant, en raison de la proximité de la Jordanie, c'était toute une épopée pour y arriver. Il fallait composer avec des horaires et des règles d'accès complexes. Aujourd'hui, pour célébrer l'événement quasi-historique, toutes les églises chrétiennes sont représentées. De quoi faire un beau glossaire des tenues religieuses.

Cette opération est menée par le ministère du Tourisme israélien. Car si pour nous, ce sont des pèlerins qui vont venir, pour eux, ce sont surtout de belles perspectives de tourisme. Et qui dit tourisme, dit revenus pour le pays.

« Nous sommes ici sur le troisième lieu saint des chrétiens, après le Saint-Sépulcre et Bethléem. Cette ouverture est pour nous un véritable "aimant" à touristes, nous attendons cent mille visiteurs dans l'année à venir », a déclaré joyeusement l'un des officiels israéliens. Selon Marie-Armelle, il a, malheureusement, omis Nazareth, là où Marie a eu la visite de l'ange, ville qui reçoit un bon million de pèlerins chaque année. Peut-être que le fait que ce soit une ville arabe n'est pas tout à fait étranger à ce petit oubli.

Pour en revenir au lieu de baptême, on imagine volontiers les croyants transportés par l'idée d'être purifiés par la même eau que Jésus. Seulement, c'est là qu'il y a un petit hic. Le Jourdain étant passablement asséché en amont, il semblerait que la rivière en question soit plutôt un mélange des eaux usées de Jéricho. Et je confirme que la couleur est... Bref, passons !

L'inauguration s'est concrétisée par un lâcher de colombes. Une initiative pour le moins inattendue dans un espace délimité par des grillages, entre deux champs de mines.

Alors qu'on nous distribuait des bouteilles d'eau à la pelle et qu'on nous gardait à peu près en vie avec d'imposants brumisateurs, nous avons été invités à prendre un rafraîchissement. Et c'est ainsi que j'ai découvert qu'un café glacé peut être largement supérieur à une coupe de champagne. Oh que oui !

Nous avons ensuite repris la route en direction de Jéricho, reconnue comme la plus vieille ville du monde. C'est ici que Jésus rencontre Zachée, perché dans son arbre. Il est collecteur d'impôts et petit, deux raisons pour lesquelles, semble-t-il, ses congénères le méprisent. Soucieux d'apercevoir ce fameux prophète dont tout le monde parle, il s'installe dans un arbre. Jésus, plutôt du genre à s'intéresser à ceux qui ne font pas l'unanimité, lui annonce qu'il ira dîner chez lui.

Eh bien, j'ai eu le plaisir de voir l'arbre en question. Je ne suis pas montée dedans car premièrement, il y avait une grille autour et deuxièmement, j'ai déjà des plans pour ce soir.

Puis Marie-Armelle m'a proposé une dernière escale dans le désert, au début de l'histoire du monde, dans un paysage d'une aridité somptueuse à perte de vue. On a forcément envie de croire en Dieu quand on voit des décors pareils.

Petite pause pour découvrir, dans ce décor lunaire, un monastère accroché à la montagne. Il y a une telle distance à faire à pied pour y accéder qu'il était tout bonnement impossible d'envisager d'y être à midi, mais quelle vision exceptionnelle ! Une construction étonnante et des toits bleu turquoise, tels des joyaux incrustés à flancs dans la montagne. J'imagine volontiers qu'aux heures de pointe, dans le métro parisien, mon esprit retournera se cacher dans ce monastère hors du temps...

Cette exploration du désert a aussi eu son lot d'émotions. « Tu vois ces moignons de troncs ? Eh bien, ce sont des champs d'oliviers qui ont été détruits et stérilisés pour punir des familles palestiniennes. » Une vision d'une désolation totale. Et puis, quelques kilomètres plus loin, un autre. Encore un autre. Des visions d'une violence inouïe qui, une fois de plus, imposent le silence.

Une violence inouïe aussi, cette route, en train de se construire, qui sera exclusivement réservée aux Palestiniens. L'autre étant réservée aux Israéliens. Pour des raisons de sécurité. Il y a aussi ces plaques d'immatriculation vertes qui signifient que les Palestiniens concernés sont interdits d'Israël.

Et le mur, encore le mur. Pourtant, ces Palestiniens sont sur leur terre aussi. Tout cela est si complexe. Si difficile.

C'est pour cela que, lorsqu'on parle à quelqu'un, on doit savoir à qui on s'adresse. Religieusement et politiquement. Heureusement, il y a une toute petite chose qui sauve : l'humour. Ce pont que l'on jette entre deux mondes.

La veille, le conseiller municipal de Jérusalem me racontait que, lorsqu'il y a deux Juifs, il y a souvent trois opinions. Il a souri et illustré son propos ainsi : « C'est un homme qui a fait naufrage. Seul sur son île, il a construit sa maison pour survivre. Le temps passe. Finalement, on vient le sauver, alors il fait visiter son petit monde, qu'il a entièrement construit de ses mains. "Voilà ma maison, mon jardin, ma synagogue, et puis l'autre synagogue." Surpris, les visiteurs lui demandent : "C'est quoi cette seconde synagogue ? – Ah, l'autre ? Je ne sais pas je n'y vais jamais !" »

Issam est le roi de la plaisanterie, à bon escient, ce qui permet d'esquiver les questions embarrassantes. Humour, symbole d'une complicité au-delà des nationalités et des cultures. Humour, politesse du désespoir qui permet de désamorcer bien des situations. Humour, arme efficace pour parfois déstabiliser son adversaire et vraiment voir ce qu'il a dans le ventre. Humour pour rattraper les gaffes. Humour, meilleur vecteur de communication.

En parlant de communication, hier, j'ai mis sur Facebook que j'avais réussi à pénétrer dans la mosquée Al Aksa. Un peu plus tard dans la soirée, alors que j'étais dans la rue, Marie-Armelle, apparue de nulle part, m'a littéralement sautée dessus. « Dis, tu as fait comment pour rentrer dans la mosquée ? » Ses yeux pétillent. « Je t'ai surprise ? – Ah ouais, réussir aussi vite, ouais... Comment t'as fait ? » Quand elle a su le fin mot de l'histoire, elle m'a souri. « Tu sais ce que c'est ? C'est la main de Dieu. »

Oui, effectivement, ces jours-ci, le destin semble m'avoir à la bonne.

# 8

EH BIEN VOILÀ, on arrive tout doucement vers la fin. C'est triste. Un peu comme lorsqu'on est ado et que l'on a vécu un amour de vacances très intense. Partir devient alors un déchirement. Eh oui, je suis tombée amoureuse de Jérusalem. Plusieurs personnes ici me l'ont confirmé, on peut tomber amoureux d'une ville, et de celle-ci en particulier. Et même en si peu de temps. Pour mille et une raisons, d'ailleurs.

Tout d'abord, parce que chaque jour est une aventure, chaque rencontre, un émerveillement. Personne n'est là par hasard. Que l'on soit visiteur ou pèlerin, si on est venu jusqu'ici, c'est qu'on a tout de même une vie intérieure, d'une manière ou d'une autre, et cette vie, la plupart des gens la partagent très volontiers et très intensément. Mettre en commun les interrogations pour grandir plus vite.

Il est particulièrement facile pour nous, étrangers, de tomber amoureux de Jérusalem car il nous est possible de naviguer partout, d'un quartier à l'autre, d'un territoire à l'autre, d'un monde à l'autre. Ni les Palestiniens ni les Israéliens ne peuvent en faire autant.

On est séduit, aussi, parce que c'est une ville qui s'écoute. Appels à la prière, cloches, chants des écoles juives, langues en tout genre, musiques dans les souks, prières… Jérusalem se hume tout autant. Encens, café turc, citronnade à la menthe, fallafels, narguilé… Nul doute, vous êtes bien à Jérusalem.

Et puis, on tombe amoureux de Jérusalem parce qu'on sait, en repartant, qu'on ne sera plus jamais tout à fait pareil. Peut-être un peu plus apaisé, ou plus riche d'humanité. Étonnant pour une telle zone de conflits et de tensions. Mais ne l'appelle-t-on pas la ville de paix ?

Cela dit, il ne faut pas se leurrer, certaines choses peuvent être pesantes sur la longueur. Les tensions, bien sûr, mais aussi les caméras omniprésentes, les guides équipés de micros qui gueulent dans la vieille ville, le *made in China* qui balaye et caricature l'artisanat local.

Et surtout, surtout, ces champs d'oliviers décapités ou ce mur si lourd, symbole de bien des souffrances révoltantes.

Ce matin, je suis allée dans un centre commercial à ciel ouvert, Mamilla. Je m'y suis rendue pour découvrir le travail d'un grand architecte, Moshe Safdie, spécialiste des bâtiments neufs dans les quartiers anciens. Je voulais donc voir ce mall dont tous les Israéliens parlent. Un projet pharaonique qui a mis seize ans à voir le jour. Une fois arrivée sur place, j'ai été terrassée par un coup de *blues* inattendu.

Le départ ? Non, ou tout au moins, pas seulement. C'était le fait de voir cette population, ultra-aisée, en train de naviguer en vase clos sans se douter une seconde de la vie qu'il y avait deux cents mètres plus loin, derrière les remparts. Là où c'est un peu moins rutilant et un peu plus le chaos.

Alors, je suis repartie dire au revoir aux vieilles pierres. Le souk du coton. L'église luthérienne. Les fontaines de Soliman, petites perles ottomanes disséminées dans la vieille ville.

Et puis, à 16 h 30, retour sur le territoire français de la basilique de Sainte-Anne pour célébrer le 14 Juillet. Un 14 Juillet qui vaut bien une messe en compagnie de la communauté française. En général, les festivités du 13 juillet sont réservées aux Palestiniens et celles du 14 aux Israéliens. Au cocktail consulaire, les différentes communautés religieuses de la ville, moult langues et un buffet étonnant.

Quand la France reçoit, elle propose des petits fours, du fromage (fantasme de tous les expats, dévoré en quelques secondes), des crêpes au Nutella, des gâteaux locaux, mais aussi des fallafels et des sushis. Un buffet à l'image de l'universalité de cette ville.

Le soir, j'ai dîné avec Katell. Une historienne des religions, employée par le CNRS, qui vit depuis plusieurs années à Jérusalem. Italien, arabe, hébreu, elle parle suffisamment de langues pour être totalement, entièrement, chez elle. Ma tristesse au moment de quitter Jérusalem, elle l'a connue. « J'ai pleuré la première fois que je suis partie. » Amoureuse, elle l'était foncièrement. Alors, elle est revenue. Encore et encore. « On boit l'eau de Jérusalem et on revient toute sa vie », dit George, le fils du photographe arménien.

Katell, avec patience et générosité, a répondu à mes nombreuses questions sur la religion juive. Des questions qui laissent la place à de nouvelles questions. Car plus on appréhende cette ville et plus sa complexité suscite de nouvelles interrogations qui méritent qu'on revienne, encore et encore.

Avant de partir, je suis passée au Mur des lamentations. Comment quitter la ville sans aller toucher le Kotel. Comme tout un chacun, je souhaite y glisser mon papier. Un souhait, une prière, un pari avec soi-même, peu importe comment on voit les choses, mais ce que l'on y glisse résume tous les espoirs qu'on porte en soi. Le contenu de mon papier n'est autre que la conclusion de ma semaine de réflexion. Oui, j'ai bien refermé la porte de ma vie d'avant. Et c'est avec le sourire que j'ouvre la suivante. Un trait d'union m'attend à Paris, ma fille de quatre ans.

## 9

ET ME VOILÀ à l'aéroport de Tel Aviv. On m'avait dit que je risquais d'y passer trois bonnes heures pour la sécurité (une femme seule, c'est suspect…) et, allez savoir pourquoi, je suis passée comme une lettre à la poste ! Il faut dire que j'avais quand même fait disparaître tout signe de contacts avec des Palestiniens. Cela aurait pu aller loin, jusqu'à la rétention, pour quelques jours, de mon ordinateur, et l'épluchage de mes photos. En ce qui concerne les Palestiniens qui étaient dans le même shirout que moi, cela a été une autre histoire.

Avant de partir, alors que je prenais, ce matin, le petit déjeuner dans le réfectoire du couvent, avec Tonetta, l'Américaine, on m'appelle : « Phone for you… » Quelqu'un m'attendait à la réception. C'était en fait Isabelle, une copine de Paris, qui venait d'arriver. Elle avait su que j'étais dans ce couvent-là, elle voulait me faire une petite surprise. Étrangement, nos échanges, bien que rapides, et sa venue à Jérusalem m'ont apaisée. Comme si je laissais finalement un peu de moi ici.

Issam est venu me déposer un cadeau. Et un sourire. « I know you will be back[1] ! » Avec une certaine timidité, il a rajouté : « Je sais que tu es en train de laver ton cœur. Dans peu de temps, il sera comme un sou neuf. »

Une pensée pour mon coup de cœur amical de ce séjour : Marie-Armelle, qui dit qu'elle est « porteuse saine du virus du syndrome de Jérusalem »… Précision,

---

1. « Je sais que tu reviendras ! »

ajoute-t-elle : « Un porteur sain est un individu infecté par un micro-organisme pathogène ne présentant pas de signes cliniques de cette infection mais pouvant transmettre cette infection contagieuse. »

J'adhère plus que je ne le souhaiterais. Je comprends aussi, presque physiquement, pourquoi le psaume 87 dit que tout homme est né à Jérusalem.

*To be continued*[1]...

**De :** Katia Chapoutier
**À :** MAB
**Objet : Dernières nouvelles**
**Date :** Lundi 24 octobre 2011

Cela fait plusieurs semaines que je veux t'écrire mais la vie parisienne a repris son rythme infernal. J'avais espoir de revenir à Jérusalem pour la Toussaint, il me faudra malheureusement attendre les fêtes de fin d'année. Je suis malgré tout terriblement en manque, mais quand j'en parle autour de moi, j'ai l'impression d'être une ado amoureuse qui saoule ses interlocuteurs. En parlant d'ado amoureuse, il y a eu un changement d'envergure dans ma vie. J'ai un amoureux. À croire que, comme disait Issam, Jérusalem a permis de laver mon cœur. C'est en tout cas une valeur sûre, c'est mon meilleur copain et le cameraman avec qui je travaille. Une nouvelle vie s'offre à nous. Il est débordé de contrats mais j'ai bon espoir de le glisser dans ma valise lors de ma prochaine venue. Je t'embrasse fort. Katia.

---

1. À suivre...

## 10

*Lundi 26 décembre 2011,*
*dans la vieille ville*

« ATTENTION, ne parlez pas hébreu, c'est dangereux ici… Mais qu'est-ce qu'il y a ? T'es pas contente, encore ?

– On aurait mieux fait de manger vers le Mur. Au moins, c'était propre et casher.

– Mais regarde ce soleil, il est magnifique, on est dans le meilleur endroit pour en profiter. Et puis, ne t'inquiète pas, j'ai craché sept fois avant de m'installer ici. (…) Quoi encore ?

– Le café est mauvais.

– C'est le côté *goy* qui te pèse ?

– Attention, la fille d'à côté nous écoute. »

Et là, forcément, la fille d'à côté, elle sourit. Et si je souris, c'est parce que je suis de retour à Jérusalem, dans la vieille ville, et qu'instantanément, je replonge dans le quotidien hallal versus casher. En plus, cette fois-ci, je suis avec mon amoureux.

« *Where are you from*[1] ?

– Paris. Et vous ?

– Moi je suis de la tribu de Juda, cela fait deux mille ans.

– Dites donc, vous ne faites pas votre âge. »

Le monsieur a l'élégance d'éclater de rire. Ils sont un couple de sexagénaires. Ils vivent à Londres mais ont

---

1. « Vous venez d'où ? »

gardé un accent ahurissant quand ils parlent anglais. Un peu comme un étendard de leur identité.

« Mais pourquoi vous mangez là ?

– Ben, parce que l'emplacement est formidable.

– Non mais, pourquoi vous mangez là ?

– Aussi parce que c'est bon.

– *Are you jewish*[1] ?

– Non. »

Elle sourit, se détend. Et se montre aimable.

« Vous savez combien de fois Jérusalem est mentionné dans le Coran ? reprend son mari.

– Ben, non !

– Zéro fois », annonce-t-il triomphalement, en l'accompagnant d'un geste de la main. « Zéro fois. » Comme si tout était dit et que la réponse au conflit israélo-palestinien se trouvait finalement dans le Coran.

L'échange est courtois, voire chaleureux, et a le mérite de me replonger instantanément dans la problématique du coin. Tout comme les odeurs de café turc, d'encens et de narguilé.

À peine arrivée dans Jérusalem, je revis, je me sens envahie d'une certaine sérénité. Oh, je sais, cela fait un peu violon tzigane. Et pourtant, je ne sais pas. Est-ce le soleil ? La couleur des pierres ? L'atmosphère ? Mais le bien-être est au rendez-vous. Pourtant, c'est comme un amoureux qu'on aurait quitté l'été dernier pour le retrouver à Pâques. J'ai l'impression d'avoir perdu tous les codes, les repères, les habitudes.

Cela dit, chassez le surnaturel et il revient au galop. Les clins d'œil du destin se manifestent plus vite que leur ombre. En effet, à peine ai-je fait mes premiers pas dans la vieille ville que je retombe sur Mahmoud, le vendeur du magasin d'antiquité rencontré l'été dernier. Quand je

---

1. « Êtes-vous juifs ? »

le croise dans la rue, un quart de seconde, il semble avoir vu la vierge. Puis, instantanément, il me propose d'aller prendre un thé dans sa boutique. Quand je lui présente mon amoureux, il fait un pas en arrière. Il ne veut pas s'imposer. En tout cas, le hasard hiérosolomytain a toujours un sens certain du timing.

Ce hasard, que ma copine Marie-Armelle appelle « la main de Dieu ». Marie-Armelle est partie en France fêter Noël, comme pratiquement tous les Français de Jérusalem que je connais. En attendant, une de ses amies nous a laissé son appartement. Me voilà plus que jamais dans la vie du coin.

L'occasion de découvrir, qu'ici comme ailleurs, en décembre, le Père Noël a pris ses quartiers. Pourquoi je trouve cela un poil choquant ? C'est comme si le vieux barbu était soudain l'ambassadeur de la société de consommation en terre sainte. Dans la vieille ville, je découvre un magasin entièrement consacré aux décorations de Noël, où tout est 100 % *made in China*. Déprimant…

Puis, quelques mètres plus loin, je tombe sur une nouvelle enseigne du Père Noël. Il me faut dix secondes pour analyser le malaise qui m'envahit. Le vieux barbu est en train de rendre hommage… à l'enfant Jésus ! Santa Claus, le cinquième Roi mage ? Cumul des mandats ou nécessité d'enchaîner les boulots pour boucler les fins de mois ?

Mais si la fourrure blanche ne fait pas forcément le Roi mage, le chiffon influe indéniablement sur les relations. Quand je disais que j'avais un peu zappé les codes, je suis bêtement arrivée en parisienne. Robe au niveau du genou, bottes noires. Rien d'exceptionnel. Sauf qu'ici, enfin, tout au moins dans la vieille ville, c'est bof, bof-moyen. Au point que j'ai fini par dépenser 60 shequels pour acheter une jupe longue et passer inaperçue.

Au-delà du fait que je me suis inévitablement pris les pieds à de multiples reprises dans les volants, j'ai aussi eu le bonheur de me sentir comme une belle des champs démodée dans le centre commercial *ultra fashion*, Mamilla.

Disons que j'avais la bonne tenue, mais jamais au bon moment... Classique. Étonnant, cependant, de voir combien, dans un lieu où l'on vient rencontrer sa vie intérieure, l'aspect extérieur nous obsède.

Perruque, pas perruque ? Longueur de jupe. Ah tiens, elle a un voile et porte des talons aiguilles ! Maquillage, trop de maquillage. Cheveux teints. On scrute les gens pour mieux les cerner, et en même temps, on est indisposé par leur regard. Petite pensée pour ces jeunes filles de banlieue qui mettent un voile pour avoir la paix.

Jusqu'où va-t-on aller pour se cacher ? C'est la question que je me suis posée en croisant, dans le souk, un jogging pour petite fille absolument terrifiant. Croisement entre une tenue de sport et le costume de Spiderman. Le haut se termine par une cagoule zippée recouvrant entièrement le visage, deux grillages laissant le champ « libre » au regard.

Alors que la lumière dorée tire sa révérence sur la vieille ville, direction l'Hôtel Mamilla pour un apéritif. En chemin, nous croisons deux Américains qui s'engueulent. L'un milite pour une Jérusalem indivisible, l'autre lui intime de garder ses opinions pour lui. Le ton monte. On parle la même langue, mais on ne vit pas dans le même monde et encore moins dans la même ville.

À deux pas, une colonne de dizaines de jeunes filles de l'armée. Elles ont tous les visages, toutes les origines mais se retrouvent sous la même identité : défendre Israël. L'une d'elle fait la quête pour les militaires du pays. Le conflit n'est jamais loin sans être totalement ouvert.

L'hôtel Mamilla est un hôtel chic qui s'avère un havre de paix de luxe aux accents matérialistes. Aux différentes tables, on parle shopping, CAC 40 et autres investissements, comme une succursale du monde occidental, une faille spatiotemporelle qui ne serait pas vraiment Jérusalem.

Mais qui permet, un cocktail à la main, de replonger tout en douceur dans le bain hiérosolymitain.

## 11

FAIRE SABBAT à Jérusalem, voilà un des objectifs du voyage. Franchement, cela peut paraître simple. Voire évident. Et pourtant, pour l'instant, c'est comme qui dirait, un peu en points de suspension. Mes connexions avec les communautés juives religieuses sont quand même, il faut l'avouer, proches de zéro.

Et ce n'est pas notre balade dans le quartier religieux de Mea Shearim qui aura fait évoluer les choses.

Mea Shearim, ce quartier au cœur de la ville, mais hors du temps. Alors que le ciel est bleu et le soleil radieux, on a l'impression de pénétrer dans un monde en noir et blanc. Le linge aux fenêtres est noir. Les tenues sont noires. Les rues sont sombres. Les hommes marchent, le pas pressé, pour éviter de voir les femmes. Elles, elles sont nimbées de hordes d'enfants. Certaines ont moins de 30 ans et déjà six bambins, dont le plus grand doit avoir moins de 7 ans.

Probablement peu de place pour la rigolade, dans cette vie régie par de nombreuses lois. Le tout sous l'œil vigilant du rabbin. Un rabbin qui se veut figure spirituelle mais aussi conseiller conjugale, psy, gourou, coach… Bref, un vrai père de famille, un poil envahissant. Convaincus de détenir la vérité, les ultra-orthodoxes veulent contraindre le monde à leurs règles. Et comme le monde n'est pas forcément d'accord, cela crée quelques tensions.

« Excusez-moi, vous allez traverser le marché ou vous voulez acheter ?

– Ben, traverser.

– Ah, alors cela va, parce qu'à cette heure-ci, seuls les hommes peuvent acheter. »

Et il suffit de jeter un coup d'œil pour voir que, en effet, ce sont bien les hommes, et seulement les hommes, qui sont en train de faire les réserves de légumes. Léger malaise. Nous reprenons notre route pour trouver un lieu où déjeuner. Là aussi, cela pourrait paraître simple. Eh bien, cela ne l'est pas.

Peu ou pas de lieu de restauration. Et quand restauration il y a… Pas de femmes à l'intérieur. Et je ne me vois clairement pas être la première. On sent une atmosphère lourde, et les nombreuses histoires de violence ne font rien pour arranger. Comme un fait exprès, ces derniers jours, la presse s'enflamme sur le sujet. La tension a monté d'un cran. Les religieux veulent repousser de plus en plus loin la présence de la femme et certaines osent faire entendre leur mécontentement. Quelle folie, mais surtout, quel courage !

Il y a quelques jours, dans un des bus religieux, une femme a refusé de s'installer à l'arrière, comme elle était censée le faire. Le ton est monté. On a dû appeler la police. Pataquès énorme qui n'est pas sans rappeler une certaine Rosa Parks en 1955. La ségrégation existe donc encore aujourd'hui.

Dans une librairie, alors que j'achète un ouvrage sur les femmes version orthodoxe, le vendeur réalise la transaction à contrecœur. On le sent fuyant, mais aussi profondément agacé. Une femme, c'est déjà un problème, mais alors une non-juive, non-religieuse, non-israélienne, n'est-ce pas le diable en personne ?

Même si ma tenue, selon mon amoureux, n'a rien à envier à celle d'une Amish, j'ai la désagréable impression d'être dans un de ces cauchemars que l'on fait, adolescente, ceux où l'on rêve qu'on a oublié de s'habiller.

Après avoir déambulé, erré deux bonnes heures, nous finissons par trouver un petit restaurant, type fast-food de cuisine traditionnelle. Au moment de passer commande, je rends les armes. Je laisse faire mon fiancé. Puisque lui seul semble habilité à communiquer. Plus envie d'essuyer des non-regards et des gestes agacés. Il m'aura fallu moins de deux heures pour abdiquer. Envie de comprendre, d'explorer, de côtoyer mais pas le courage de faire face à ce mur. Enfin pas encore en tout cas.

Le soir, nous retrouvons Katell, la chouette chercheuse du CNRS. Elle va bientôt quitter Jérusalem pour revenir s'installer en France. Sa mission ici est terminée. Étrangement, même si elle est à quelques jours de déménager, on la sent plus que jamais attachée à la ville. Les cartons sont faits mais son âme est loin d'être sur le départ. Je l'interroge sur les pistes possibles pour mieux connaître la communauté religieuse.

Elle connaît des juifs religieux orthodoxes ouverts. Elle va essayer de nous mettre en contact. En attendant, je n'ai toujours pas trouvé où passer le sabbat. Le site sabbat.com (une sorte de tout ce que vous avez toujours voulu savoir sur le sabbat) a été désactivé. La copine de Katell, qui se proposait gentiment, est en fait invitée à une bar-mitsva. L'association des étudiants juifs de Jérusalem, qui est une sorte de plaque tournante pour les touristes curieux, est aux abonnés absents.

Il paraît que si on va au Mur des lamentations à la bonne heure, il y a toujours une bonne âme pour nous recueillir. Affaire à suivre…

Le blog de Grégory Philipps
Jérusalem, Gaza, Tel-Aviv, Ramallah
*Grégory Philipps est correspondant
pour Radio France à Jérusalem.*

Ligne de bus 40, entre Mea Shearim et Ramot
Monde juif

Publié le 17 décembre 2011

Bon, le moins que l'on puisse dire, c'est que les déclarations d'Hillary Clinton, il y a quelques jours, à une réunion de la Brooking Institution de Washington, n'ont pas vraiment fait plaisir aux Israéliens. La secrétaire d'État américaine a, dans un premier temps, dénoncé les récents projets de loi (finalement suspendus) du gouvernement Netanyahou qui prévoyaient de limiter le financement des ONG de gauche. Évoquant les restrictions récemment prises à l'encontre des femmes à Jérusalem et dans plusieurs villes particulièrement religieuses, elle a aussi déclaré que l'État hébreu, par certains côtés, lui rappelait... l'Iran. À lire ici, dans ce papier d'Haaretz, les réactions outrées du gouvernement israélien. Avec ces propos, Hillary Clinton a voulu condamner les incidents récents qui sont venus remettre en cause la place des femmes dans la société israélienne, sous l'influence d'une communauté ultra-orthodoxe de plus en plus nombreuse et de plus en plus influente. Ces derniers mois, des soldats religieux ont quitté des cérémonies durant laquelle on pouvait entendre des femmes chanter. À Bet Shemesh, une école de filles a été l'objet de vives tensions pendant des semaines entières et le théâtre de manifestations houleuses, parce que ses voisins haredi trouvaient que les gamines n'étaient pas vêtues de manière assez modeste. Sur certaines lignes de bus de Jérusalem enfin (et sur une trentaine de lignes dans tout le pays), les hommes continuent de s'asseoir à

• • •

l'avant et les femmes à l'arrière. Les autocollants, à la porte du bus qui, noir sur blanc, affirment que personne ne peut obliger un autre passager à s'asseoir à l'arrière, n'y ont rien changé, pas plus que le jugement de la Cour suprême israélienne en début d'année [...].

Là où Hillary Clinton se plante, c'est qu'en Iran, effectivement, les bus ne sont pas mixtes, mais c'est la loi du pays qui impose cette ségrégation. Ce n'est absolument pas le cas en Israël. En revanche, il suffit de passer l'après-midi dans l'un de ces autobus de la compagnie Egged (la ligne 40 mais aussi toutes celles qui desservent des quartiers ultra-orthodoxes) pour mesurer que la pression sur les femmes est particulièrement forte, et qu'aucune d'entre elles, même les laïques, ne vient désobéir à cette règle – non écrite – de séparation des hommes et des femmes dans les transports publics.

À propos des femmes, il devient de plus en plus difficile d'apercevoir leurs visages sur les murs de Jérusalem. Et pas seulement dans les quartiers ultra-orthodoxes. Pour ne pas choquer la population Haredi, les publicitaires renoncent de plus en plus à afficher des visages féminins dans leurs campagnes. Quand ils le font, les posters sont vandalisés ou détériorés.

Bref, Israël n'est pas l'Iran, mais il est vrai que le poids des religieux orthodoxes ne cesse de croître. À Jérusalem, ils représentent aujourd'hui un peu plus de 30 % de la population. À Bet Shemesh, près de la moitié des 100 000 habitants sont haredim. Des villes comme Bnei Brak enfin, pas loin de Tel-Aviv, sont quasi entièrement peuplées d'ultra-orthodoxes. Comme me le confiait tout à l'heure un habitant du quartier de Ramat-Aviv à Tel-Aviv, particulièrement agacé par l'influence croissante de ces ultra-religieux : « Qu'ils pratiquent leur religion à leur manière, comme ils le souhaitent. Mais qu'ils ne viennent pas m'imposer, à moi, leur manière de vivre et de voir le monde ! »

# 12

« VOS AMIS vous seront utiles pour envisager vos problématiques du jour sous un autre angle », disait mon horoscope. Le problème, c'est que tous les amis de Jérusalem sont ailleurs.

Alors forcément, parfois, la main de Dieu ne suffit plus. Ou bien, c'est comme dans le livre de Job, Dieu me teste et m'incite à faire mon mea culpa. Pour info, ici, on l'écrit D.ieu, pour ne pas écrire véritablement le mot. On garde une distance, on respecte. D'ailleurs, on préfère dire Hashem, qui veut dire « le nom », enfin j'ai envie de dire « le Nom » avec une majuscule parce que, forcément, on sous-entend que ce n'est pas n'importe lequel. Bref, D.ieu, puisque c'est de lui dont on parle, a eu envie de s'offrir une petite partie de rigolade hier.

Nous avions donc toutes sortes de projets de visites qui me tenaient à cœur. Tout d'abord, déambuler sur l'esplanade des Mosquées. Cet espace de paix et de sérénité a-t-il la même atmosphère l'hiver ? Allais-je retrouver la même magie qui m'avait envoûtée ? Allais-je assister à de nouvelles scènes insolites, comme la photo de classe des religieuses de Manille ? Eh bien, toutes ces questions resteront sans réponses. Tout au moins pour cette année. En effet, la fenêtre de tir permettant d'accéder à l'esplanade pour les non-musulmans est assez réduite. Disons, en gros, entre 7 heures et 10 heures du mat'. Alors forcément, quand on se réveille accidentellement à 9 h 30, cela tend à compliquer légèrement le projet.

Ici, il y a une sorte de proverbe yiddish qui dit : « Mange un morceau », comprenez : quand ça ne va pas, « mange un truc » ; quand ça va bien, « mange un truc » ; quand tu es heureux, « mange un truc » et donc quand tu as raté la possibilité de te balader sur l'esplanade des Mosquées, ben, « mange un truc ».

Nous voilà donc installés à une terrasse merveilleusement ensoleillée, du quartier juif de la vieille ville. Il fait si doux, il y a foule pour nous divertir, des voisins de table du monde entier qui se succèdent. C'est parfait... À un détail près.

La serveuse (française) ne nous voit pas. Non mais vraiment. La table des Américains a le temps de faire un repas entier, ils paient et s'en vont se balader on ne sait où, mais nous, toujours rien. C'est un peu comme dans les films, le fameux trucage où le personnage principal est fixe pendant que tout bouge à vive allure autour de lui.

Eh bien voilà, trente minutes pour commander et vingt-cinq pour ne rien voir venir. Nous avons craqué, nous sommes partis, mais avec l'idée de faire contre mauvaise fortune bon cœur. Nous allions donc nous offrir un bon bagel de Holy Bagel. Miam, un délice.

Puisque l'esplanade ne voulait pas de nous aujourd'hui, eh bien, direction les vitraux de Chagall, dans l'hôpital Hadassah. Douze vitraux gigantesques, et évidemment, aussi sensibles que colorés. Depuis le documentaire que nous avons réalisé avec mon amoureux sur Chagall, c'est un peu comme un ami, un grand-oncle que l'on chérit... Alors franchement, aller à l'autre bout de la ville pour aller voir ses merveilles, cela valait bien un Dôme du Rocher.

« Attends, vérifie l'adresse sur le *Lonely Planet* », histoire de voir si on y va en tram ou en taxi. Et surtout, histoire de voir que... cela ferme à 14 heures et qu'il est...

14 h 05... Formidable ! Surtout que c'est le dernier jour où c'était ouvert avant notre départ. Ah, bon ben, tant pis !

« Mais, tu sais qu'il y a des tapisseries de Chagall à la Knesset ? Le *Lonely Planet* dit que c'est ouvert jusqu'à 19 heures... Allez, yallah ! »

En cours de route, nous passons devant un poste de sécurité de l'esplanade des Mosquées.

« *Excuse me*, mais c'est quoi déjà les horaires exacts pour y accéder ? Ah bon ? Vous êtes sûrs ? Pas avant dimanche ? » C'est parfait, on part samedi...

Histoire de se remettre de cette déception, une petite pause dans le souk. Au menu, petites perles de miel et autres bombes caloriques probablement à base de pure graisse et de glucose concentré à 300 %. Dans l'esprit, quand t'es déçu, « mange un truc ». C'est divin, doux, magique, et permet d'oublier la déconvenue. Ils sont forts ces proverbes yiddish. Et là, apport calorique oblige, une pensée lumineuse.

« Ah ben tiens, en route on pourrait s'arrêter au magasin où je voulais acheter le cadeau pour Marie-Jeanne (mon adorable voisine), au moins ce sera une bonne occasion. »

Nous reprenons la route. Direction mon magasin préféré. Car finalement, c'est bien connu, le shopping pour une fille, c'est toujours une valeur refuge. Sauf quand c'est fermé pour... inventaire ! Elles sont bien là les vendeuses, elles s'activent, mais nous, on est derrière la porte, et c'est bel et bien fermé !

« T'as pas un petit creux, toi ? » La bouche pleine d'une viennoiserie au miel, nous voilà en route pour la Knesset. Et ce n'est pas tout près. Évidemment, pour faire un parlement digne de ce nom, il faut un parc, et pour avoir un parc, il faut de la place. Bref, on marche, encore et encore. La nuit commence à tomber, c'est beau.

« Dis, tu crois que ce sera encore ouvert ? » laisse place à « cela m'a l'air bien fermé quand même », pour finalement arriver face à un gardien qui, le fusil en bandoulière, se malaxe les poings d'une manière bien peu conviviale.

« Euh, *hello*, c'est pour Chagall.

– Ah ben non, on vient de fermer.

– On peut revenir demain ?

– Ah ben non, c'est que le mardi et le jeudi. »

Honnêtement, là, on commence à se sentir minables. On me la copiera, la magie de Jérusalem, la main du hasard et les bonnes intentions de Dieu. Il est 17 heures et, bon an mal an, à part ingurgiter 346 289 calories de gras et de sucre, on n'a rien fait !

Nous reprenons la route, direction on ne sait où, parce que, de toute façon, quand on sait, on n'y arrive pas. Nous passons devant un magasin, tout joli, tout plein de couleurs avec une enseigne « *Design made in Jerusalem* ». Au moins, là, ils ne font pas l'inventaire et c'est encore ouvert. Nous entrons et mes yeux tombent sur une tasse avec une citation en yiddish… Qui a la bonne idée d'être traduite en anglais. Et soudain, la réponse à cette drôle de journée…

*Man plans and god laughs…* L'homme prévoit et Dieu rit.

Pour la peine, *fairplay*, je me suis offert la tasse en question, et sans rancune pour ce bon Dieu qui s'est bien ri de nous aujourd'hui !

Dernière étape avant de rentrer, une boulangerie palestinienne afin d'acheter des viennoiseries pour le lendemain matin. Je vois des gâteaux pleins de crème fouettée, comme dans les dessins animés. Fascinants, magiques, alléchants.

Si nous n'avions pas mangé trente-deux fois dans la journée, je crois que j'aurais craqué. Mais non, digne et gavée, je m'y refuse. Nous achetons nos victuailles, et au moment de s'éclipser, sans un mot, le vendeur prend deux serviettes en papier, disparaît tête la première dans la vitrine réfrigérée, et en ressort… deux tranches de gâteau au caramel et à la crème fouettée… « *Zis iz foR you, this a pResent foR you*[1] ! »

Serait-ce la main de D.ieu qui essaie de se faire pardonner ?

---

1. « C'est pour vous, c'est un cadeau pour vous ! »

## 13

Bon, évacuons cette question immédiatement. L'opération sabbat a été, en grande partie, avortée. Disons que le fameux bureau de « je vais vous faire connaître la culture juive » a commencé à ébranler toutes nos espérances. Le même interlocuteur qui, en juillet, m'avait permis de trouver le guide le moins objectif d'Israël pour découvrir la vieille ville, semblait m'attendre sagement dans sa boutique.

« Vous parlez français, je crois ?

– Français, anglais, hébreu, à votre service.

– Voilà, on aimerait partager le sabbat avec une famille.

– Quand ?

– Ben là, vendredi. »

Petit rire dans lequel on ne peut s'empêcher d'entendre, « mais mes pauvres gens, vous croyez quoi ? »

« Vous n'avez pas l'impression de vous y prendre un peu tard ? D'habitude, on me contacte deux, voire trois semaines à l'avance. Alors là, pour demain… Pourquoi vous voulez faire sabbat ?

– Euh, pour découvrir, partager, connaître.

– Vous logez où ?

– Chez une amie, vers l'American Colony (une manière délicate d'éviter de dire dans Jérusalem, ce qui pourrait m'apparenter à une pro-Palestinienne et là, c'est clairement pas le moment).

– Et votre amie, elle peut pas vous inviter pour sabbat ?

– Ben non, elle est catholique. »

Re-petit rire genre, « mais mes pauvres, vous êtes vraiment trop stupides et vous n'en avez même pas conscience. »

« Et en France, vous faites sabbat ?

– Euh, non…

– Non, vraiment, je ne vois pas comment vous pourriez faire sabbat demain. Mais bon, après tout, on ne sait jamais. Laissez-moi un numéro de téléphone. »

Et, comme pour souligner l'aberration de notre naïveté, il ne bouge pas d'un millimètre. Pas un mouvement pour attraper un carnet ou un stylo. C'est simple, il continue à cliquer sur sa souris en regardant, sans voir, un écran d'ordinateur, avec des photos d'Israël, de l'office du tourisme.

« D'accord, mais on vous le note où ? »

Il semble presque surpris qu'on le prenne au mot. Il attrape une feuille volante, qui attendait son tour pour la poubelle, et nous la tend de manière désabusée.

« Bon, ben, si je ne vous appelle pas, c'est que je n'ai rien trouvé. »

Autant dire que nos espoirs sont à bloc ! On a posé ensuite la question à droite, à gauche, au hasard de nos rencontres. On nous a donné des semblants de piste, qui n'en étaient pas.

Bref, nous nous sommes repliés sur nos acquis. Direction le mont des Oliviers. Au moins, là-bas, c'est jamais fermé… et on sait ce qu'on y fait : on grimpe !

Un petit détour par la mosquée de l'ascension « *Five shequels. And be careful,* il y a un monsieur un peu bizarre qui risque de vous importuner », nous dit-on. Ah bon ? Et donc ? « *If he talks to you, hit him*[1]. » Pardon ? On lui colle une beigne ?

Et puis quoi encore ? Déclencher la troisième intifada aussi ? Comment dire ? On ne le sent pas trop.

---

1. « S'il vous parle, frappez-le. »

Un peu déroutés par le conseil du monsieur, nous finissons par nous installer sur une petite place avec d'excellents fallafels. Des petites filles jouent à saute-mouton. Sourires, rires, regards complices, nous faisons partie du jeu. Peu à peu, le groupe d'enfants s'agrandit. Nous sommes les seuls adultes. Ils s'amusent des photos que nous prenons, cabotinent, repoussent les limites du jeu. Une petite parenthèse d'innocence et d'espoir : on peut partager loin de toutes les barrières, les religions, les langues.

On ne peut pas en dire autant du côté du Mur des lamentations.

Retour à la case sabbat. Il est 16 heures. Le monde afflue.

Nous nous sommes installés à côté de ce qui pourrait s'apparenter à l'entrée des artistes. À savoir, le passage obligé des hommes pour aller au Mur, ici, on l'appelle le Kotel.

La variété de tenues des juifs orthodoxes semble infinie. Cependant, le Schtreimel retient toute notre attention. Une imposante toque en fourrure qui a plus la taille d'un carton à chapeau que d'un couvre-chef. On la sort spécialement pour les fêtes et le sabbat. Elle est fabriquée avec treize queues de zibeline, de fouine ou de renard. Autant dire, cela vaut une fortune.

Alors un jour comme celui-ci où le ciel se montre menaçant, on l'agrémente de protections. Ici, un imper avec une capuche démesurée pour le recouvrir, là, une sorte de bonnet de douche bleu ou transparent taille XXXXXXL. Et soudain, c'est quand même beaucoup moins digne !

Pour l'anecdote, il y a quelques mois, Pamela Anderson n'a rien trouvé de mieux que de partir en croisade contre lesdits orthodoxes pour les convaincre de passer à la fourrure synthétique. J'ai envie de dire « Chapeau ! Quel courage ! »

Parce que, franchement, ils n'ont pas l'air d'être de grands rigolos, lesdits orthodoxes. Au point que j'ai rêvé toute la nuit qu'ils avaient des comptes à régler avec moi, et c'était purement terrifiant. Un peu comme quand la sœur supérieure au collège disait : « Mademoiselle Chapoutier, dans mon bureau ! »

Mais je m'égare. Des tenues, je disais. Identiques au premier coup d'œil, mais bien différentes. Rayures, pas rayures. Cheveux rasés, pas rasés. Anglaises courtes ou longues. Barbes à la ZZ Top, imberbes. Chapeaux, kippas, cordelettes à la taille, autant d'interprétations des textes qu'on aurait envie d'explorer.

En quelques minutes, l'esplanade se retrouve pleine à craquer. Ambiance recueillie et sérieuse. Sauf ici et là, des groupes de jeunes qui chantent et qui dansent avec une belle ferveur.

Je file alors du côté des femmes. Et là, c'est aussi gai que le groupe d'enfants du mont des Oliviers. Elles sont en cercle. Dans chacun de ces cercles, des « maîtresses de cérémonies » lancent les chants et indiquent les pas de danse. Les jeunes femmes sont de toutes les origines mais partagent un point commun : un sourire radieux qui se transforme en vrai éclat de rire dès que le pas de danse s'avère maladroit.

Il ne me manque qu'une chose : les sous-titres, pour véritablement comprendre les subtilités, les symboles et les enjeux.

À 17 h 30, il faut à peine quelques minutes pour que la foule se disperse. Nous avons la sensation d'avoir assisté à un spectacle exceptionnel. Et notre position de spectateur n'en est que plus frustrante.

Alors que nous nous rapatrions vers le quartier chrétien pour trouver un restaurant ouvert, on nous déclame des « Shabbat Shalom » à droite et à gauche, qui sonnent presque comme des rendez-vous.

À Jérusalem, l'année prochaine ? Au plus vite... Car, si demain nous partons, mon esprit est déjà en train de revenir.

De : Katia Chapoutier
À : Katell
Objet : État des lieux parisiens
Date : Samedi 7 avril 2012

J'espère que ton retour en France s'est aussi bien passé que le nôtre. Je m'organise pour revenir à Jérusalem l'été prochain. Aurais-tu des conseils à me donner pour loger chez quelqu'un ? Une colocation ? En effet, je veux pouvoir m'immerger dans la ville sans forcément me ruiner. Je viendrai avec ma fille, depuis le temps qu'elle entend parler de Jérusalem, elle n'a qu'une envie, c'est de venir voir. Elle a beau avoir cinq ans, elle a capté pas mal de choses. « Jérusalem, c'est là où il y avait Jésus. Celui que l'on croyait qu'il était mort alors qu'en fait il était juste blessé », m'a-t-elle expliquée, pas plus tard qu'hier. Je pense qu'en revanche, mon amoureux sera retenu en France car, pour lui, en tant que cameraman, l'été est la saison haute. Je me réjouis de ces vacances d'aventurières qui seront probablement les dernières avant quelque temps. Il semblerait que la famille s'agrandisse... Mais chut, on attend de passer les trois mois pour en parler. J'attends de tes nouvelles pour une éventuelle coloc'. Je t'embrasse fort.

From : Hélène Jaffiol
To : Katia
Subject : Petit mail pour te mettre dans le bain avant ton voyage...
Date : Dimanche 13 mai 2012

Pour faire suite à notre dernière conversation, je ne sais pas trop comment est venue cette envie de partir si loin, d'aller voir cette terre, cette ville, cette colline. Bon, je dois bien l'avouer, c'était d'abord un défi personnel : partir seule à Jérusalem, ça en « jette » un peu plus que de migrer à Bruxelles. Ça impressionne, ça surprend. Surtout que je partais seule, que je n'avais jamais mis les pieds au Moyen-Orient. Pire, je n'avais jamais vécu autre part que chez mes parents. Autrement dire que je n'avais pas vraiment le profil de l'aventurière, ou alors, je le cachais bien ! Je devais rester à Jérusalem trois mois, j'y suis depuis plus de trois ans, et je ne m'en lasse toujours pas. Alors, tu verras, quand tu feras, toi aussi, le grand saut, certains autour de toi ouvriront grands les yeux et te diront, inquiets « Tu feras attention, dis... » Ils sont nombreux à avoir cette vision d'une ville en état de siège, prête à exploser. Y compris ceux qui y vivent depuis plus de vingt ans. En arrivant, un vieux « routard » de Jérusalem m'a fait cette remarque qui me hante toujours : « On ne vient pas ici par hasard. T'es attirée par Jérusalem ? Tu es venue sans personne ? Eh bien, c'est que tu as des conflits intérieurs à régler ma petite... Ah non ? Cherche bien... »

Cette remarque m'avait piquée, énervée même, à l'époque... Eh bien, c'était un peu vrai ! Je n'étais pas forcément la fille la mieux dans ses baskets à l'époque, en conflit avec mon entourage, avec moi-même. On cherche toujours un peu, consciemment ou non, un environnement à son image. Et Jérusalem, c'était le conflit permanent. Ça l'est toujours : Juifs contre Arabes ; Mur des lamentations contre esplanade des Mosquées, jupes longues contre jupes courtes, « marches des salopes » contre juives « talibanes », kippa noire orthodoxe contre kippa tricotée moderniste, soldats kaki – M-16 en bandoulière – ou soldats blancs anti-occupation... Même les prêtres du Saint-Sépulcre se battent parfois à coups de cierges, c'est dire ! La liste est encore longue et

Jérusalem ne manquera jamais une occasion de te tester là-dessus, non sans ironie, non sans humour. Je me souviens d'un trajet en bus interminable où j'avais fait un choix de siège vraiment pas judicieux, genoux contre genoux (le mien dénudé, pour ne rien arranger) à côté d'un ultra-orthodoxe pur jus, un « chapeau noir » comme on les surnomme ici. Il était assis près de la fenêtre, il restait le siège vers le couloir. La dernière place de libre. Je devais donc choisir entre un collé-serré avec le monsieur en noir ou rester debout... Mes pieds ont décidé pour moi, je me suis assise. Lui, il trépignait, je pense, de colère, sans oser me regarder, et encore moins me parler. En fait, j'avais positionné ma jambe (toujours à moitié nue) de telle sorte qu'elle lui barrait le chemin (pas très douée la fille, je sais !). Donc il était, de fait, coincé entre moi et la fenêtre, le pauvre. Moi, je n'avais pas envie de bouger. Lui, ne le POUVAIT pas. Finalement, c'est moi qui suis partie. J'étais arrivée à destination, mais j'en connais un autre qui a été très soulagé... Je n'ai pris conscience de l'histoire de ma jambe qui lui barrait la route que plusieurs minutes après, en me remémorant la scène sur le trottoir. Une once de culpabilité quand même... Rien n'est serein à Jérusalem, mais c'est ce qui fait son charme. Reste que le bus (ou le tramway, d'ailleurs) offre un formidable tableau des mille et un visages de cette formidable ville multiple. Le tout et son contraire, et le contraire du tout. Pas besoin d'un roman pour passer le temps, crois-moi !

Je n'ai guère eu l'occasion de m'ennuyer aussi dans mes différentes « maisons » : la collocation « locale » (avec des Israéliens/Palestiniens), il n'y a rien de mieux pour connaître Jérusalem, dans sa chair et dans ses drames. Je me rappelle de cet appart' que j'ai partagé avec une Palestinienne, Dima, qui avait un petit-ami israélien. Lui avait un frère dans l'armée, dans les forces spéciales.

Elle, sa mère, une ancienne professeure, avait été radiée à Jérusalem car elle défendait l'Intifada en classe. Évidemment, la relation était secrète et ma coloc' était ravie que je n'appartienne à aucun des deux camps, que je sois extérieure à tout cela, la garantie de pouvoir vivre une histoire d'amour le plus tranquillement possible. Enfin presque... Il y a eu ces jours où, sans crier gare, ses parents débarquaient très tôt pour une visite-surprise. Le copain se cachait alors dans un placard ( !), parfois dans la douche (re !), et plus d'une fois, je l'ai vu débouler précipitamment dans ma chambre (re-re !), à la recherche d'un coin où se cacher, en attendant que les parents repartent enfin. Cela pouvait prendre des heures... Moi, j'avais l'impression de voir une version de Romeo et Juliette, quand même plus soft, se dérouler sous mes yeux. Jeune journaliste, je ne pouvais trouver meilleur terrain de chasse.

Jérusalem, c'est aussi le royaume de l'insolite. Je me rappelle d'un café, à mes débuts ici, devant le très sérieux journal israélien, *Haaretz*. Un article me fait écarquiller les yeux : « Un collège d'experts vient de déclarer le Viagra propre à la consommation durant la semaine de Pâques » Qu'est-ce que Pâques a à faire là-dedans ? Parce que durant cette semaine sacrée, il faut faire la chasse à toutes les substances qui ressemblent de près ou de loin à du blé, de l'avoine et autres graminées. Il y avait apparemment un doute pour le Viagra. Soupçon levé ! Au plus grand plaisir, je suppose, de certains foyers. Jérusalem, c'est aussi cela, le profane (le Viagra) côtoie le religieux. Le sacré est partout, jusqu'aux petits détails. Dans la Jérusalem « juive », durant les jours de fête ou le sabbat (samedi), il y a un certain nombre d'erreurs à éviter. Tu pourras difficilement être plus maladroite que moi. Tu as déjà lu ma bévue avec l'orthodoxe plus haut, eh bien, il y en a d'autres ! (lol) Je me souviens aussi d'une soirée mémorable. Je devais être à Jérusalem depuis quelques semaines, et comme toute nouvelle venue, je galérais un peu pour trouver un appartement. J'ai fini par atterrir chez un pote religieux très pratiquant. Vient le vendredi soir, début du sabbat, le jour saint de la semaine juive. Mon pote me laisse quelques heures, mais il m'avertit avant de partir : « Peu importe tout ce qui pourrait arriver, même si les aliens débarquent, surtout, surtout, ne touche pas à quelque chose d'électrique. » Oui, durant le sabbat, toutes les activités qui requièrent, de près ou de loin, de l'électricité sont proscrites. Sur ce, il quitte l'appartement. Je devais l'écouter d'une oreille ce soir-là, car, peu de temps après, je me décide quand même à faire fonctionner le grille-pain (juste quelques minutes, pour ma défense). Et là, les plombs sautent ! Non seulement l'appartement se retrouve dans le noir complet, mais également tout l'étage. Va alors trouver une solution quand : 1/ ton pote, qui vient de revenir à la maison, ne peut ni te parler du problème (durant le sabbat, il y a également une interdiction stricte d'évoquer ces questions : la lumière, le chauffage, la cuisson, la voiture... car en lien avec la fabrication d'énergie) ni, de ce fait, te montrer où se trouve l'armoire à fusibles pour que tu puisses relancer la machine... 2/ Tu n'as pas de lampe torche et ton téléphone est en rade... 3/ Tu tentes néanmoins ta chance dans le couloir pour chercher la fameuse installation électrique. Et là, tu te retrouves nez à nez avec les voisins qui te regardent d'un œil noir (forcément tu as ruiné leur repas) et que, très pratiquants eux aussi, ils ne peuvent te fournir aucune aide. Ni te montrer l'endroit où aller, ni même prononcer le mot tabou (au moins tu évites les reproches, c'est déjà ça !). Bon, j'ai fini par régler le problème mais je ne me souviens plus le temps que cela m'a pris. Je préfère ne plus m'en souvenir (lol). Surtout qu'avec mon histoire de grille-pain, j'ai réussi à dérégler toute la programmation électrique de l'étage. Résultat : les voisins ont dû dormir, toute la nuit, avec la lumière allumée. Gênée (tu t'en doutes), je suis partie de l'immeuble quelques jours après. Mais ne t'en fais pas, mon pote s'en est remis (je ne sais pas pour les voisins...), mais il ne manque jamais une occasion aujourd'hui pour me charrier ! Moi, depuis, j'ai fait du chemin (ouf !). Je suis devenue sabbat©ompatible, une vraie experte.

Alors, plonge dans tous les univers que cette cité merveilleuse peut t'offrir. Mais surtout, attache-toi à découvrir les deux « Jérusalem », ne fais pas l'Ouest en oubliant l'Est, la Jérusalem palestinienne plutôt que la Jérusalem israélienne, et inversement. Surtout que, quand tu auras commencé à apprendre les langues de Jérusalem, l'hébreu et l'arabe (tu auras la migraine au début, accroche-toi !), tu te rendras vite compte d'une chose : les deux langues se ressemblent tellement, l'arabe de Jérusalem est rempli d'hébreu et l'hébreu de Jérusalem est rempli d'arabe. Cela passe par des petits mots communs, des expressions, les deux peuples se côtoient malgré tout et leur langue aussi. Bien sûr, tu seras parfois le témoin de scènes difficiles, d'affrontements entre les « deux » Jérusalem, du désespoir des uns et des autres ; tu te prendras le conflit et ses blocages en pleine face. Alors là, tu feras ce que beaucoup font ici : se réfugier, le temps de quelques jours, à Tel-Aviv, le lieu anti-prise-de-tête par excellence : la plage, les restos, les mini-shorts... Mais tu verras, Jérusalem te rappellera bien vite à elle.

Ah oui, je te disais au début que je n'étais pas franchement au top à mon arrivée ici. Je peux le dire aujourd'hui : cette ville m'a réparée. Et bien plus encore...

# 14

*Dimanche 22 juillet 2012*

« MAMAN, pourquoi les animaux ont existé sur notre planète avant les hommes ?

– Pardon ???? »

Alors, posons le décor, il est 2 h 30 du matin. Notre avion a atterri à Tel-Aviv à 23 h 30. Une fois à Jérusalem, je me suis une nouvelle fois perdue dans la vieille ville la nuit. On pourrait presque croire que j'ai voulu faire une visite guidée exclusive pour Maya.

Escale au Saint-Sépulcre (tiens, c'est ouvert !) et passage à proximité du Mur. Sauf qu'on est chargées comme des filles en vacances, qui avaient pourtant décidé de voyager léger.

Comptez six sacs de tailles variées et incompatibles entre eux, plus un ordinateur. Et cette fameuse amnésie totale sur le chemin de notre hébergement.

« Euh, les animaux ? Là, franchement, chai pas !

– En fait, tu sais pas parce que t'es perdue, hein ? T'es sûre que tu connais Jérusalem, maman ? »

J'avoue, j'ai péché et, à proximité du Mur, c'est sûrement pire. Avec une assurance qui sent clairement l'arnaque, j'ai répondu : « Non, mais attend, tout va bien, on est presque arrivées. » Ce qui, en un sens, n'était pas faux puisque, comparé au matin, nous n'avions jamais été si près du but.

Alors que j'essaie de rebooter le disque dur qui me sert de cerveau, Maya continue :

« Ce n'est pas très propre, cette rue. Ils ne savent pas, à Jérusalem, que les déchets, cela abîme la planète ? Et c'est grave, car c'est la planète qui nous porte et on en a qu'une... »

Je demande mon chemin, ne comprends pas la réponse, continue.

« Ah, je sais !

– De quoi ? Le chemin ?

– Non, maman, je sais pourquoi les animaux étaient les premiers. C'est parce que l'homme descend du singe, sinon ça n'aurait pas marché. »

Là, comme un doute m'assaille. Et si je n'arrivais pas à gérer les élans métaphysiques de cette enfant de cinq ans ? Et si cette escapade était une erreur ? En plus, j'ai le sac à dos qui me scie les épaules.

Focus sur le couvent. Oublions.

« Ah ben là, c'est plus propre. C'est bien, certaines personnes à Jérusalem aiment la planète. »

Moi, au final, j'ai surtout aimé retrouver notre couvent. L'ascenseur (en panne), notre chambre (50 °C au bas mot), notre douche (choc thermique, pas d'eau chaude, mais c'est pas grave), et un dingo de service qui, à 3 h 30 du matin, défilait sous nos fenêtres avec un tambour. Il paraît que ses hurlements sont une promotion du jeûne pendant le ramadan. Certains le savent de source sûre au couvent car il passe toutes les nuits. Il pourrait déclencher une nouvelle intifada, sauf que là, les équipes ne seraient plus tout à fait les mêmes.

Bref, bon an mal an, et surtout chaudement, nous sommes allées, quelques heures plus tard, dans les rues de la vieille ville. Forcément, pour Maya, cela ressemble un peu à un défilé de mode.

Première urgence : rappeler à Maya qu'on ne montre pas du doigt mais qu'on indique une direction avec la main, comme une hôtesse de l'air de première classe.

Et puis, rapidement, l'incontournable explication du Mur, du Saint-Sépulcre et du Dôme du Rocher. J'explique qui appartient à quoi et j'ai presque l'impression de parler d'équipes de foot. « Alors, tu vois, Maya, il y a les gens comme nous, qui dépendent de l'église que je viens de te montrer. Ensuite, il y a ceux qui sont rattachés au Dôme doré qu'on a vu de la terrasse du couvent. Et enfin, il y a ceux qui vont prier au Mur qu'on a vu tout à l'heure. Ils ont tous des manières de vivre différentes car leur Dieu est différent. »

Cela me parait un poil schématisé, mais comment faire pour le jour 1 ?

À ce moment-là, deux types de l'armée la bousculent.

« Ils sont d'où eux ?

– Ben eux, ils vérifient que tout le monde s'entend bien. »

Ça sent encore l'arnaque de bas étage, mais on va y aller par étape sur la problématique israélo-palestinienne. Je n'ai déjà pas toutes les cartes en mains, et je dois avouer que je me méfie terriblement des questions de cette petite.

« Mais maman, il faut s'entendre, c'est important, car tous les Dieux sont biens. »

Sueurs supplémentaires. Si elle raconte cela à son père, je vais avoir un contrat sur la tête. Évidemment, cela ressemble à de l'embrigadement de base. Insupportable, pour lui qui fait une apoplexie à moins de 50 mètres d'une église.

« Maman, je veux voir le dôme doré parce qu'il est si beau, si brillant, et je veux aussi mettre un petit papier au Mur.

– Tu veux écrire quoi ?

– J'aime Jésus. »

Oh, mon Dieu. Comment expliquer que ce n'est pas le bon guichet ?

« Maya, ils n'y croient pas, ils vont mal le prendre.

– Ben, c'est pas grave, c'est ce que je veux écrire.

– T'aurais pas un vœu, une envie, un rêve ?

– Ben, mon seul rêve, Dieu, il peut rien y faire.

– Ah bon, mais c'est quoi ?

– Je veux devenir une *Winx*[1]. »

J'imagine la tête de Hashem découvrant l'un ou l'autre des mots de Maya. Forcément, à côté des forcenés de la croyance, cela fait furieusement léger.

« Je sais, maman. On n'a qu'à demander la possibilité de voir *Lorax*[2] au cinéma. »

Au final, nous sommes allées au Mur. J'y ai mis le papier que j'avais promis à une personne qui m'est chère. Et j'ai, discrètement, fait l'impasse sur *Lorax*.

---

1. Si vous ne connaissez pas les *Winx*, une recherche sur Google s'impose pour mesurer l'ampleur de mon désarroi.
2. Lorax est un drôle de personnage orange à grosses moustaches jaunes, héros d'une fable écolo qui a eu un beau succès au cinéma.

## 15

C'EST L'HISTOIRE d'une famille, à Chicago, dans les années 1870. Il est avocat, et ils ont quatre filles. Ils vivent heureux mais débordés par leurs activités. Ils décident alors de partir en vacances en Europe. À la dernière minute, monsieur est retenu par une affaire urgente. Madame part donc seule avec les quatre filles. Et là, c'est le drame... un naufrage en cours de route. Seulement madame s'en sort.

De retour à Chicago, ils essaient de reprendre leur vie. Un fils naît, puis une fille. Mais le sort n'en a pas fini avec eux. Le fiston décède de la scarlatine à 4 ans. Comme si cela ne suffisait pas, l'Église à laquelle ils appartiennent leur tourne le dos. Ben oui, si on a autant de galères, c'est bien parce que Dieu veut nous faire expier d'horribles péchés. Ils sont chassés, rejetés, montrés du doigt.

Épuisés, ils décident de tout quitter pour aller à Jérusalem redémarrer une nouvelle vie. Quelques fidèles, outrés par l'attitude de la paroisse, leur emboîtent le pas. À Jérusalem, ce petit groupe d'une quinzaine de personnes veut vivre comme les premiers chrétiens. On met tout en commun, on travaille ensemble et on s'en sort ensemble.

Et cela ne marche pas si mal (la fameuse énergie du désespoir sans doute). Au point que lorsque madame repart quelque temps à Chicago, elle revient avec d'autres fidèles séduits par le concept.

Sorte de kibboutz avant l'heure, ils ont leur école, leur charpentier, leur propre boucher, leur propre crèmerie. Ils élèvent des vaches, des cochons, des poules. Ils sont copains aussi bien avec les Juifs qu'avec les Bédouins ou les Européens (à l'époque cela devait être plus simple).

On appelle cette communauté l'American Colony. Au début du XX$^e$ siècle, ils se sont peu à peu dirigés vers une sorte d'hôtellerie.

Un siècle plus tard, l'American Colony est l'un des hôtels les plus célèbres de Jérusalem. Le seul endroit où travaillent Juifs et Palestiniens. Le tout évidemment dirigé par... un Suisse. Stars, politiques et reporters se retrouvent là. Enfin, côté reporters, davantage les correspondants officiels, qui ont plus de moyens que les pigistes, car le Kibboutz, avant le kibboutz, est devenu un hôtel quatre étoiles.

Alors, quand j'ai envoyé, telle une bouteille à la mer, des mails à tous les hôtels dotés de piscines avec un message type, « Journaliste exilée donnerait sa vie pour deux heures dans une piscine », ce furent les premiers à répondre, avec en prime un prix de faveur.

L'esprit d'entraide et d'ouverture, sans doute ! La responsable avec qui j'avais communiqué m'avait même donné rendez-vous à la réception pour faire plus ample connaissance.

Je ne sais pas si c'est mon sac à dos (nous étions en transit) ou la vision de ma fille, mais son enthousiasme a fondu comme un flocon sur le Mur des lamentations aux alentours de midi !

Soudain, je n'étais plus la bienvenue. Mon prix spécial ? Une exception, presque une erreur. D'ailleurs, il faudrait payer 40 € pour moi et 20 € pour Maya, la prochaine fois. Même pour une demi-heure. Elle nous a ensuite accompagnées avec l'enthousiasme du condamné qui va à l'échafaud.

J'ai expliqué à Maya qu'ici, ils n'étaient pas trop emballés par la présence des enfants, alors il allait falloir être d'une discrétion absolue.

« C'est pas grave, maman, parce qu'ici, c'est le paradis. »

En effet, une sublime piscine abritée par une verdure luxuriante, deux retraités qui somnolaient. Sans oublier un petit jacuzzi, le tout accompagné par un appel à la prière.

« Tu vois ça, maman », dit-elle en pointant le doigt vers le ciel et en écoutant l'appel du muezzin. « Cela fait quand même plus de bruit que les enfants. » Oui, mais c'est tellement plus doux à nos tympans.

Ce (cher) petit coin de paradis nous a redonné des forces, après la balade à l'esplanade des Mosquées où la chaleur était harassante. Profitant de la curiosité boostée par le ramadan, des centaines de touristes cherchaient la fraîcheur, à l'ombre des oliviers. Tous avaient dû acheter, à l'entrée, des foulards Arafat style pour masquer leurs shorts, leurs minijupes et autres dos nus. À l'occasion, il faudra qu'on m'explique ce qui se passe dans la tête de certains touristes. « On va aller à l'esplanade des Mosquées. Chouette, je vais mettre mon microshort. »

Les seuls qui avaient des tenues respectueuses étaient les Asiatiques, dotés d'un arsenal pare-soleil exceptionnel. Manchons qui couvrent les avant-bras, visières teintées qui descendent en bas du visage (un peu dans l'esprit « attention, je vais sortir mon fer à souder »), casquettes dotées de tissus qui recouvrent les épaules. De nos jours, le soleil rhabille tout un chacun presque aussi efficacement que les religions.

Nous avons été surprises par le nombre de petites filles voilées. Et, à ce niveau-là, certains musulmans rattrapent les juifs orthodoxes, qui réclament des tenues austères et « modestes » dès le plus jeune âge.

Depuis mon arrivée, je compatis avec les innombrables tenues cocotte-minute. Niqab noirs, manteaux et chapeaux noirs des juifs orthodoxes, tenues sombres et couvrantes des religieuses orthodoxes.

Pour aimer Dieu, doit-on forcément vivre dans l'inconfort ? Voire dans la souffrance ? Eh bien, la réponse est : pas forcément. Le gardien de l'entrée de l'esplanade des Mosquées, côté souk des cotons, était un homme souriant ce matin. Sa chaise trônait, à l'ombre, à proximité de deux énormes ventilateurs brumisateurs. Et là aussi, un autre petit coin de paradis.

# 16

M EA CULPA. *Mea maxima culpa.* Le dingo n'en est pas
un. S'il passe avec son tambour en plein milieu de
la nuit, c'est pour une vraie raison, une vraie mission.
Réveiller les gens à temps, avant le début du jeûne, pour
qu'ils puissent se sustenter. Ceux qui tardent à allumer
la lumière ont droit à une double ration de ramdam,
histoire qu'ils ne lâchent pas le jeûne pour une stupide
panne d'oreiller.

Donc, respect au tambourineur, car cela doit être bien
difficile de sortir de son lit une, voire deux heures avant
les autres.

Me voilà dans notre demeure de Jérusalem est et
notre *ramdameur* local semble plus discret, ce qui, en
soi, ressemble furieusement à une bonne nouvelle. Nous
avons rejoint une colocation fort agréable et cela a un
côté rassurant à bien des égards. Car ici, il y a deux,
trois choses légèrement plus complexes que dans notre
quotidien parisien.

Quand quelqu'un dit : « Je suis allé à Ramallah ou
à Bethléem », on ne demande pas si c'était bien. Non.
On demande : « Et comment es-tu allé là-bas ? » Aller
d'un point A à un point B est forcément compliqué à un
moment ou à un autre, voire à moult moments.

Le pire, c'est pour les Palestiniens. Les contrôles, les
*check points*, le mur de séparation, les routes qui leur sont
interdites. La probabilité d'arriver là où ils souhaitent est
une équation à multiples inconnues et résultats variables.
Avec un supplément d'angoisse pour ceux qui habitent

Jérusalem car ils ne sont jamais vraiment sûrs de pouvoir revenir chez eux. Du coup, un bon nombre a décidé de ne plus bouger.

Anna, une des colocataires, m'expliquait que le mur et les innombrables *check points* ont engendré plusieurs communautés palestiniennes, qui ne communiquent quasiment plus entre elles, et des familles éclatées, qui se perdent de vue. Les Palestiniens de Gaza, de Jérusalem, de Ramallah ou plus lointain, ceux de la diaspora, deviennent autant de peuples différents avec des points de vue divergents. Difficile dans ces cas-là d'avoir une opposition digne de ce nom face au gouvernement israélien.

Dans un tout autre genre, bien moins grave, on trouve un autre type de population pour qui les déplacements sont difficiles. C'est une micro-communauté : celle de ma fille et moi. Disons que, sur une échelle de un à dix du sens de l'orientation, je crois pouvoir assurer, en toute sincérité, que je me situe aux alentours de − 462. Entre les indications multilingues et le bordel ambiant, la moindre sortie est de l'ordre de *Pékin Express*.

Au point que, lorsqu'on arrive finalement à bon port, Maya se sent comme obligée de dire : « Ben tu vois, maman, on ne s'en est pas si mal sorties ! »

Parfois, je suis à deux doigts de la sonder sur la direction à prendre. Genre, tu le sens plutôt à gauche ou à droite ? Une technique que j'ai testée au musée d'Israël. Un lieu aussi exceptionnel que grand. Moi, j'avais le plan, elle, son instinct. Elle a gagné dans environ 98 % des cas. Bon à savoir.

Là-bas, la muséographie est à couper le souffle. On comprend qu'il soit reconnu comme l'un des plus beaux musées au monde. Archéologie, histoire des arts juifs, ethnologie, beaux arts, tout est bluffant.

Mais le plus étonnant pour moi fut l'exposition temporaire, dont on peut traduire le titre par « Un autre monde, à deux pas de chez vous ». Ce n'est, ni plus ni moins, une incursion ethnologique au cœur de la communauté juive hassidique. Une branche ultra-orthodoxe, dont la garde-robe varie, *grosso modo*, du noir au blanc, avec bien peu de place pour le gris. Les hommes et les femmes ont toujours la tête couverte. Chapeaux pour les uns, perruques pour les autres.

C'est donc une communauté qui date du XVIII<sup>e</sup> siècle et qui a vu le jour en Europe de l'Est. Selon *Wikipédia*, c'est leur fort sentiment d'appartenance à leur identité qui leur a permis de résister aux hostilités environnantes. Instinctivement, j'aurais envie d'ajouter que leur propre hostilité envers le monde environnant a dû aider aussi.

À 3 ans, on leur coupe les cheveux pour la première fois. Ras sur le haut du crâne, et on garde deux petites mèches sur les côtés. Pourquoi à 3 ans ? Parce que, clairement, ce ne sont plus des bébés mais des petits êtres prêts à découvrir la Bible et les écrits qui vont rythmer leur vie.

Jeux, comptines, chansons, histoires, tout est bon pour appréhender le monde par le regard de Dieu et ses (nombreuses) attentes.

Pas question de faire des études supérieures ou de s'intéresser trop aux sciences pour éviter les interférences avec le monde extérieur. À 18 ans, on se marie. Avec une fille qu'on n'a bien souvent aperçue qu'une fois. En même temps, n'ont-ils pas toute la vie pour faire connaissance ?

Dans l'exposition, un extrait vidéo où une femme hassidique témoigne : son mari était le premier homme, hors famille, qu'elle rencontrait. Elle l'a épousé à 18 ans, et à 22 ans elle avait déjà quatre enfants.

Autre vidéo étonnante, celle d'un des rituels du mariage. La mariée est en tenue blanche au milieu d'une immense assemblée d'hommes en noir. Son visage est couvert d'un voile opaque. Impossible de discerner ses traits.

Le rabbin la tient par un lien de tissu et la promène comme un chien en laisse lors des concours de races. Il la fait tournoyer doucement, sous les regards enthousiasmés du public.

Selon la tradition, si elle est voilée, c'est parce qu'elle est bien trop rayonnante pour être vue. Cette vidéo est à la fois fascinante et effrayante. Interminable. La femme réduite à l'état d'objet qu'on admire, tout en la dissimulant.

À un moment des festivités, la femme exhibe une dernière fois sa chevelure. Une chevelure que plus personne ne reverra. Car, à partir de là, l'épouse opte pour la perruque ou le foulard, ou même les deux. Certaines choisissent aussi de raser leurs vrais cheveux.

Sachant qu'il y a une vraie discussion, voire des dissensions, sur cette fameuse perruque. Est-elle suffisamment « modeste » ? J'ai envie de dire non, si on reste dans leur logique, car certaines osent opter pour des coupes qui leur vont bien.

La tenue vestimentaire et l'éventail de styles ne sont pas non plus d'une variété folle. Jupe longue et ample, qui ne doit pas souligner les formes du corps. Collants opaques (été comme hiver). Manches longues. Noir, blanc, au pire beige. Mais évidemment, ni rouge ni orange, couleurs de la provocation ultime.

Monsieur étudie les textes. Éventuellement, il travaillera, mais seulement à mi-temps et dans certains domaines, à savoir : enseignement, industrie agroalimentaire casher, fabrication ou vente de vêtements hassidiques, ou alors publication de textes religieux.

Madame, en revanche, doit, à la fois gérer la maison, ses nombreux enfants, et subvenir aux besoins financiers de la famille. Sans perdre de vue une chose : il est important, voire capital, qu'elle ne côtoie aucun homme autre que son mari. Même la famille doit rester à distance. Autant dire la quadrature du cercle.

Perspective de détente et de rigolade ? À peu près zéro, car les copines ne sont pas à l'ordre du jour et la prière des femmes doit se faire en silence, alors que les hommes chantent et dansent quand ils s'adressent à Dieu. Heureusement, une petite exception est faite pour les mariages, où ces dames peuvent quand même chanter et danser... mais seulement entre elles.

Mais il ne faut pas croire que les hommes ont la vie facile. Tout est mesuré, cadré, décidé au préalable. Ainsi, certains portent un manteau à rayures. Ce manteau comporte exactement deux cent quarante-huit lignes qui correspondent aux deux cent quarante-huit commandements positifs de la Torah.

Ils ne portent d'ailleurs pas leur pardessus n'importe comment. Le côté droit doit se refermer sur le côté gauche, parce que le côté droit symbolise la miséricorde, et le côté gauche le jugement. L'idée, c'est que leur habillement exprime leur espoir que la miséricorde de Dieu triomphe au final.

Dans le *Jerusalem Post*, on apprend que cette exposition connaît un franc succès et, en particulier, auprès de la communauté hassidique. Ils viennent avec une certaine curiosité découvrir comment le monde extérieur les perçoit. Ils découvrent alors des explications ou des logiques auxquelles ils n'auraient pas forcément pensé, car pour eux tout cela est ancestral et naturel.

Comme le dit, d'ailleurs, la femme de 22 ans qui témoigne dans la vidéo : « On ne se pose pas de questions. On transmet simplement ce qu'on nous a appris et on est heureux comme cela. » De quoi repartir songeuse de cette incursion dans l'autre monde.

À l'arrêt de bus, j'attendais sur le banc à l'ombre. Un juif hassidique est arrivé et s'apprêtait à s'asseoir aussi. Il ne m'avait pas vue, j'étais dissimulée par un panneau. Quand il m'a aperçue, j'ai senti une certaine nervosité.

Il s'est arrêté dans son élan et s'est détourné. Son regard est alors tombé sur une fille habillée en robe rouge super mini.

Le regard a dû, immédiatement, fuir de nouveau. Même Jérusalem est finalement un piège. La tentation, ou ce qui pourrait s'y apparenter de loin, est partout. Le stress doit être permanent et le seul moyen qu'ils ont de couper court à une conversation avec quelqu'un d'autre est d'être agressif, ou tout simplement mutique. Une attitude qui suscite, pour ma part, une certaine empathie, mélangée à de la désolation, le tout saupoudré d'agacement.

Heureusement, d'autres voyageurs sont arrivés. Il faisait toujours aussi chaud. Ce petit banc à l'ombre est devenu un espace très convoité. Rapidement, on s'est retrouvé avec un véritable problème de bienséance.

Entre une femme enceinte (moi), une femme obèse, une autre femme outrageusement obèse, un quinqua qui boite et une personne âgée, qui est prioritaire ? Et bien je dois dire que la femme obèse hassidique n'a pas tergiversé. Avant même que je ne réagisse, elle a spontanément laissé sa place. Donc, après les avoir jugés toute l'après-midi, j'ai compris que j'avais quand même quelques leçons de savoir-vivre à prendre. Une pensée que j'ai pu méditer au soleil, au moment où la brise de fin de journée pointait enfin son nez.

## 17

CE MATIN, nous avons décidé de partir à la découverte du zoo biblique. Le concept me laissait rêveuse. Départ de la maison, oui, on peut dire maison, et j'aime cela. Anna m'avait conseillé de me méfier : vendredi. Jour de prière pour les musulmans en période de ramadan. Traduction : trente mille personnes supplémentaires dans la vieille ville. Une vieille ville aux rues incroyablement étroites où il y a, déjà, au départ, trente mille habitants sur moins d'un kilomètre carré.

Mais, pour aller au Dôme du Rocher, encore faut-il que ces pèlerins pénètrent à l'intérieur des remparts. Et clairement, ils ont choisi l'heure exacte où nous devions justement longer ces mêmes remparts. Nos destinées devaient donc se croiser, ou tout au moins essayer. Des milliers de personnes qui vont au même endroit en même temps, c'est un flot infini, ininterrompu. Une fourmilière géante. Au point que nous avons commencé à être clouées sur place, incertaines de pouvoir, un jour, traverser cette marée humaine. Pour, au bout du compte, nous jeter à l'eau.

Volume sonore ahurissant, festival de tenues religieuses diverses et variées, parfums en tout genre. Le tout sous une chaleur caniculaire. Déboussolant.

On aurait pu reprendre des forces, dans la quiétude climatisée du taxi. C'était sans compter cette formidable combinaison : absence d'amortisseurs et hystérie au volant, digne d'un (très) mauvais manège à sensations. Queues de poissons, dépassements à droite, hurlements et chapelets de klaxons rugissant... Franchement, je n'ai eu aucun mal à envoyer bouler le chauffeur-chauffard quand il m'a demandé de le payer plus que prévu au départ.

Il ne parlait pas anglais, mais je crois qu'il a compris que ce n'était pas la peine d'insister. L'Occidentale pouvait, elle aussi, faire preuve d'hystérie. Et, pour Maya, le jugement a été sans appel : « Pas terrible ce chauffeur. Je suis d'accord maman, pour reprendre des bus compliqués. »

Bref, nous avons fini par arriver au zoo biblique. C'est quoi un zoo biblique ? C'est un zoo classique, absolument magnifique, où les pancartes donnent les informations habituelles pour chaque animal, mais avec, en prime, la référence biblique dans laquelle ils apparaissent.

C'est un lieu que les enfants adorent car ils peuvent jouer sur l'arche de Noé.

C'est aussi un lieu où certaines galeries font référence, non pas à des régions, mais à des psaumes.

C'est enfin un lieu qui, visiblement, séduit bien plus de religieux que de laïcs.

Ce qui, en soi, ne me pose pas de problème, sauf quand les fratries de cinq, sept, voire dix enfants nous passent devant en force pour voir les micro-lémuriens ou autres bébés taupes.

Au fil de la visite, je me suis rendue compte que nous n'étions pas forcément bienvenues dans ce zoo. Les vendeurs, à l'entrée ou à la buvette, les gardiens, le conducteur du petit train ne répondaient ni au bonjour ni aux questions. Ils avaient en revanche un point commun, une envie pressante de se débarrasser de nous au plus vite. Étrange, pour un lieu *a priori* touristique.

Puis, le malaise a progressé d'un cran, au moment où j'ai réalisé que nous étions observées, précisément comme des animaux du zoo. Et en particulier par les enfants.

Robe rose pour moi, jupe à volants pour Maya, bras découverts pour toutes les deux. Les enfants de famille religieuse étaient désorientés. Au point que la numéro 3 d'une fratrie de sept est venue nous montrer du doigt. Je ne comprenais évidemment pas un traître mot de yiddish, mais sa gestuelle, en revanche, était très claire. Elle nous détaillait à ses frères et sœurs comme le cas d'école, le contre-exemple à ne pas suivre. Genre présentatrice de télé-achat : là, il devrait y avoir des manches longues, là, on devrait voir des collants, etc.

Les frères et sœurs s'étaient approchés autour de nous avec beaucoup de curiosité. Le père a su finalement faire montre d'autorité pour mettre fin à cette scène étrange, sans nous accorder le moindre regard. Une prouesse. « Heureusement, maman, qu'ils ont arrêté, parce que cela commençait à me brûler les joues, cette histoire », a conclu Maya. Et moi donc…

Le retour bus, puis bus, et enfin tramway s'est fait sans embûches. Un vrai succès pour moi. Même si je n'ai eu que des interlocuteurs qui n'alignaient pas plus de trois mots d'anglais et n'avaient aucune envie de nous aider. Peu importe, la victoire n'en fut que plus belle !

Le transit final entre le tramway et la maison a correspondu parfaitement à l'heure où les trente mille pèlerins sortaient de la vieille ville pour retrouver leurs divers moyens de transports. La marée humaine s'est muée en tempête. La chaleur, probablement le jeûne, la peur de rater leur bus et la fatigue ont engendré une vraie guerre de coudes et des coups d'épaules.

Heureusement, nos petites tailles respectives nous ont permis de nous faufiler sans trop de heurts. En arrivant, Anna et Maria nous ont accueillies avec leur chaleur et leur simplicité si agréables. Une enveloppe de douceur, après tous ces échanges un peu âpres.

À l'évocation de mon escapade aigrelette au zoo, Anna a sorti un article du *Monde* qui m'a permis de dédramatiser.

En effet, on y apprend que « les Israéliens ont, de la politesse, une conception… rustique ». J'y ai lu aussi que, « contrairement à l'anglais, qui ne connaît pas le "tu", l'hébreu est dépourvu de "vous". Cela a des conséquences : pas de barrière sociale, pas de marque de respect, et peu de signification pour les notions de politesse ou de courtoisie. [...] La politesse, c'est petit-bourgeois, cela n'a rien à voir avec l'esprit des pionniers. Qui plus est, Israël est un "pays en guerre" qui n'a pas de temps à perdre avec ces superficialités[1]. »

À nous, maintenant, d'adopter l'esprit pionnier !

Anna m'a aussi prêté un téléphone local avec un numéro israélien. Une maison, un téléphone, je commencerais presque à avoir une place ici.

---

1. *Le Monde*, 3 août 2011. Article écrit par Laurent Zecchini (correspondant à Jérusalem).

# 18

L A MER MORTE, qui est amenée à disparaître, on en a tous entendu parler. Mais quand on apprend qu'un hôtel-spa, auparavant en bordure de plage, se retrouve aujourd'hui à 1,5 km de l'eau, cela donne une idée du désastre. Ledit hôtel a fait construire une route et installer un petit train, tiré par un tracteur, pour que ses clients profitent des bénéfices de la mer. Bizarrement, sur l'autre rive, c'est l'inverse, le niveau d'eau grimpe tellement qu'il menace d'autres hôtels d'inondations.

Il me semblait bien qu'il y a une quinzaine d'années, lors de mon premier voyage, on m'avait parlé d'une mer Morte à - 395 mètres du niveau de la mer. L'endroit le plus bas du monde. Aujourd'hui, en arrivant, je remarque qu'on nous annonce - 418 mètres. Et pour cause, il s'avère que ladite mer descend d'au *minimum* un mètre chaque année.

En gros, l'idée, c'est qu'à force de pomper l'eau du Jourdain, elle n'est plus nourrie que par les eaux de pluie et par les eaux usées des villes de Cisjordanie. Et ce n'est clairement pas suffisant. De l'autre côté, on récupère la potasse et divers minéraux pour l'industrie. On les prélève en masse, en laissant des énormes croûtes de sel dures comme du béton qui chamboulent tout. Bref, peu à peu, l'homme et l'industrie tuent littéralement cette mer Morte.

Mais, comme souvent, dans les questions d'urgence écologique, c'est un peu la quadrature du cercle. On ne peut pas vraiment arrêter de pomper le Jourdain car la région crève de soif. D'un autre côté, on a pensé à déverser, *via* un tunnel, de l'eau de la mer Rouge. Sauf qu'on n'a pas la moindre idée des effets secondaires car, malgré son intitulé, la mer Morte n'a toujours été abreuvée qu'en eau douce. Alors les spécialistes s'interrogent, et pendant ce temps-là, elle continue à s'évaporer.

Elle renferme aussi des trésors. Par exemple, ses boues et son eau sont un excellent traitement contre bien des maladies de peau, dont le psoriasis. Beaucoup plus efficaces que n'importe quel produit chimique. Sans parler des cosmétiques qui ont un succès exceptionnel, et pour cause, ils sont d'une qualité unique.

Bref, se décider à aller se baigner dans la mer Morte, c'est un peu comme aller rendre visite aux dernières Bigoudènes de Bretagne. Une expérience rare amenée à disparaître.

Pour y aller, nous avons donc traversé le désert. Palmiers, dromadaires, la carte postale complète bien que gâchée par un ou deux champs d'oliviers rasés et stérilisés.

« Trop bien, je vais me jeter dans les vagues.

– Euh, Maya, il n'y a pas de vague.

– Ah bon ?... Tu vas voir comment je peux mettre la tête sous l'eau, maintenant.

– Euh, on ne peut pas mettre la tête sous l'eau, il y a beaucoup trop de sel. D'ailleurs, tu vas mettre des lunettes pour ne pas te faire mal aux yeux.

– Mais c'est quoi, cette mer ? »

Eh bien, c'est une mer bien étonnante. Contrairement aux chutes du Niagara, où une fois sur place, on se dit, « bon ben voilà, il y a beaucoup d'eau », et on n'a plus grand-chose à vivre, là, les sensations sont multiples. Encore plus douces que celles que j'avais gardées dans mon souvenir, il y a quinze ans, lors de ma première visite.

L'eau est huileuse comme un cosmétique de luxe. La boue avec laquelle on se frictionne la peau est délicate. L'épiderme devient doux comme celui d'un nouveau-né.

Cette immense tache d'huile scintillante invite à la méditation, dans un flottement délicieux. Certains trouvent les baigneurs émergeants ridicules, mais on peut aussi le vivre comme un moment de plénitude.

Plénitude qui a, bien sûr, totalement échappée à Maya. Pas de coquillage, pas de vague, pas de poisson, pas de galipette dans l'eau, pas d'éclaboussures possibles. « Maman, ça sert à rien... Et la boue, c'est n'importe quoi, c'est trop sale. »

La progression de la chaleur et l'arrivée en fanfare d'un bus de Russes ultrabruyants ont eu raison de notre escapade.

Retour à Jérusalem, où j'essaie, avec l'aide de mes hôtes, d'éduquer Maya à une utilisation réfléchie de l'eau. Ici, pas question de laisser le robinet ouvert pendant qu'on se brosse les dents ou que l'on se savonne sous la douche. L'eau est aussi précieuse et rare qu'elle le sera bientôt pour le reste de la planète.

Il semblerait qu'il pleuve à Jérusalem autant qu'à Londres. Mais sur une période plus réduite. En fait, il y a surtout un incroyable problème de stockage. Et, comme pour toute denrée rarissime, sa répartition est forcément injuste. Pendant que je peux nager dans l'eau limpide de l'American Colony, pas très loin de là, une famille palestinienne n'a pas de quoi prendre une douche par jour. On peut facilement imaginer combien l'eau a de quoi devenir une arme particulièrement efficace du conflit.

# 19

C'EST une jolie jeune fille, bien dans ses baskets. Elle est Palestinienne chrétienne. Je l'ai d'ailleurs rencontrée chez les Dominicains. Il y a encore un an, lors de mon premier voyage, je croyais que Palestinien était forcément synonyme de musulman. Eh bien, il paraît qu'il n'y a rien de tel pour vexer un Palestinien chrétien que de lui poser la question de savoir quand il s'est converti.

Car, les premiers Palestiniens chrétiens datent de l'époque du Christ, soit six siècles avant la naissance de la religion musulmane.

Pour cette jolie jeune fille, les choses ne sont pas simples. Elle s'est mariée à Jérusalem mais le gouvernement ne reconnaît pas encore son mariage légalement. Son mari n'a plus de droit ici, et vit donc en France.

Elle est devenue guide pour pouvoir s'organiser et faire des allers-retours entre Israël et la France. En fait, elle attend sa nationalité israélienne qui lui permettrait de naviguer librement d'un pays à l'autre. Cette formalité, qui normalement prend six mois, dure depuis deux ans, sans aucune perspective d'échéance. Selon une de ses copines, l'administration lui ferait « payer » le fait d'avoir fait ses études en France.

Toujours est-il que, tant qu'elle n'a pas ses papiers, elle est coincée.

Son mariage n'étant pas encore reconnu légalement, elle ne peut pas avoir d'enfant, car elle me dit que le statut de fille-mère est « interdit ». Je ne sais pas encore s'il est véritablement interdit ou inacceptable, mais en attendant, sa vie est sur pause.

Son job de guide lui permet d'accumuler plusieurs semaines *off* pour aller vivre sa vie de couple en France. Dans ces cas-là, elle est bien sûr heureuse de retrouver son mari, mais en même temps, elle s'ennuie, car sa vie n'est pas là-bas. Pas vraiment. Si elle passe outre cette naturalisation et voyage à sa guise, elle perdra tout droit sur sa terre. Et c'est bien de sa terre dont il s'agit.

Cette discussion m'a rappelé qu'ici, le rapport au mariage est quelque peu différent. Il n'y a pas, en Israël, de mariage civil. Seulement un mariage religieux. C'est une des concessions faites aux religieux lors de la création du pays. Donc si, par exemple, on est étranger et qu'on se marie ici, cela sera forcément une cérémonie religieuse que l'on fera ensuite valider par le consulat, qui délivrera alors un livret de famille.

L'inverse de la France, où l'on est gravement hors-la-loi si on ne commence pas par se marier civilement. De la même manière, les affaires familiales sont gérées par des tribunaux religieux. Autant dire que ce n'est pas une source de sérénité pour les femmes qui se séparent. Un divorce peut d'ailleurs être refusé. Notre sacro-sainte séparation de l'Église et de l'État n'est ici, ni une réalité ni une vérité.

Le religieux et le laïc s'entremêlent et s'opposent régulièrement. Si on en revient à nos ultra-orthodoxes, bien des laïcs ne les supportent pas, pour la simple et bonne raison qu'ils ne font pas l'armée et ne paient pas d'impôts.

Pour les laïcs, c'est inimaginable que cette population tente d'imposer ses lois religieuses à tous alors qu'elle ne participe pas au socle de l'identité israélienne (défendre et subvenir aux besoins du pays).

Toujours est-il qu'aujourd'hui, j'ai retrouvé ma copine Marie-Armelle. Depuis l'année dernière, elle n'a pas changé. La même énergie, le même amour inextinguible pour Jérusalem et son Saint-Sépulcre. La même joie de vivre.

Ensemble, nous avons lâché la religieuse Jérusalem pour aller plonger du côté de la laïque Tel-Aviv. À Jaffa, plus exactement. Une plage de rêve, une eau à 27 °C, genre turquoise (avec ou sans lunettes de soleil polarisées !), pas trop de monde...

Le paradis ? Presque. Le drapeau rouge tirant sur le noir avait de quoi refroidir nos ardeurs chaleureuses.

Peu importe la brise, les vagues qui se meurent finalement sur le sable, la bonne compagnie, et comme disait Maya, « Dieu, le ciel soit loué, il y a des douches sur la plage pour me mouiller, pas besoin de me baigner ».

Une phrase qui a soulevé deux évidences :

– Cette enfant s'imbibe de la spiritualité ambiante par pure capillarité. Je l'ai d'ailleurs surprise en train de causer à Jésus du menu du soir. Serait-il en train de devenir son nouvel ami invisible ?

– Nos leçons sur « l'eau ne doit pas servir à s'amuser, surtout ici » n'ont pas encore totalement porté leurs fruits.

Marie-Armelle, trop heureuse, ne s'est pas laissée impressionner par les rouleaux, aussi imposants fussent-ils. Pour elle, une eau pareille, cela ne se rate pas. Aussi enthousiaste qu'une gamine qui se rit du danger. Elle était, d'ailleurs, la seule femme à braver les drapeaux.

En fin d'après-midi, nous avons repris la route, recouvert nos épaules et retrouvé la belle Jérusalem dont le soleil déclinant donne envie de dire : « Dieu, le ciel soit loué, que c'est beau ! »

Nous avons terminé la journée dans un petit coin de paradis de Jérusalem. L'hospice autrichien. Une construction du XIXe siècle, à l'époque où la Terre sainte redevenait un centre d'intérêt pour les pays étrangers. Alors que les pays d'Europe se partageaient plus ou moins la vieille ville, avec ses lieux emblématiques, le consul d'Autriche avait fini par trouver un morceau de terre miraculeusement situé sur la Via Dolorosa. On y construit donc une maison des pèlerins avec une belle chapelle. L'empereur François-Joseph y est venu en personne.

Aujourd'hui, l'hospice est toujours un lieu d'accueil pour les voyageurs. Il possède un jardin exceptionnel avec deux terrasses sur des tourelles qui surplombent les rues de la vieille ville. À l'ombre d'une végétation luxuriante, on est au frais et on peut s'offrir les délices d'un véritable café viennois, avec *sachertorte* en prime.

# 20

LES RAPPORTS humains quotidiens, ici, me laissent dubitatives. C'est probablement lié au fait que je ne maîtrise ni l'arabe ni l'hébreu, mais je sens une sorte de tension latente à notre encontre. Pourtant, une femme enceinte et une petite fille de 5 ans, cela ne ressemble *a priori* pas à une menace terroriste.

Par exemple, le chauffeur de bus, lorsqu'il se rend compte que nous ne parlons pas hébreu, se met à nous parler plus fort et avec, en prime, une bonne couche d'agressivité supplémentaire. Malheureusement, ce ne sont ni les décibels ni l'intensité du ton qui feront que je maîtriserai mieux l'hébreu.

Alors que je lui cherche la monnaie exacte, il souffle et ronchonne des commentaires, que je ne suis pas mécontente de ne pas comprendre. À l'arrière, je ne trouve pas de place pour m'asseoir. C'est bien dommage, car la route est chaotique et les amortisseurs se conjuguent au passé. Une femme voit que je suis enceinte, elle se lève pour me laisser la place en soupirant, comme si je l'avais forcée.

À la porte de Damas, nous nous apprêtons à prendre le tram. Deux jeunes de l'armée font les cent pas sur le quai. La queue pour le distributeur est impressionnante. Les gens râlent, probablement parce que l'autre distributeur ne marche pas. Alors que cela va être notre tour (enfin !), une femme voilée arrive de nulle part et nous passe devant, comme si nous n'avions jamais existé. Je suis tellement surprise que je ne réagis même pas.

Quand c'est enfin mon tour, pour de bon, celle qui est derrière moi me colle, au point que mon ventre se trouve écrasé contre le distributeur. Je lui expose le fond de ma pensée en anglais. Situation ridicule car, primo, elle ne comprend pas un traître mot de ma révolte, et deuxio, je déteste perdre mon sang-froid devant Maya.

Trois minutes plus tard, je sens un vilain coup au niveau des jambes. C'est un mini-homme, 4 ans maximum, kippa vissée sur la tête et ficelles de prières au niveau du pantalon, qui me dégage littéralement de son chemin. Ils sont en fait quatre mômes accrochés à la poussette d'une maman ultra-pressée. Il n'a visiblement, comme solution, que de déblayer ce qu'il y a sur sa route. J'en reste, une fois de plus, clouée sur place.

C'est donc éberluée que je monte dans le tramway. Un tramway dernier cri, puisqu'il ne roule que depuis quelques mois. Aujourd'hui, au niveau de Jérusalem est, c'est l'un des rares endroits où l'on voit une population mélangée. Et cela paraît étrangement calme et serein, comparé aux années de batailles pour ce projet.

Le fameux tramway de la discorde, il y a eu plusieurs années de retard, tant pour des raisons politiques que techniques. Les Palestiniens y voient une manière d'annexer leur espace et, en même temps, certains d'entre eux reprochent qu'il n'y ait que trois stations dans les quartiers arabes. Les Israéliens, eux, en veulent à Veolia d'avoir lâché l'affaire deux ans avant l'inauguration. Veolia se trouvait coincé alors que tout le monde les pointait du doigt, car la construction de ce tramway, du point de vue du droit international, était totalement illégale. Les colons installés dans les quartiers arabes, eux, se réjouissaient d'y voir une validation de leur installation sauvage. Au final, à part quelques jets de pierres en octobre, tout se passe visiblement pas mal.

Étonnante ville, où l'agressivité se glisse dans tous les rapports humains, et où la sérénité semble l'emporter dans des contextes où les dérapages paraissaient inévitables. De la même manière, ces contacts humains âpres et trop corsés peuvent être balayés par un échange d'une profondeur inattendue, avec un total inconnu. On comprend alors un peu mieux pourquoi tant de personnes tombent amoureuses de cette ville et s'accommodent des à-côtés.

19 h 45. Une détonation sourde annonce la fin du jeûne du ramadan. Comme à chaque fois, nous sursautons. Et comme à chaque fois, la voix de Maya résonne dans un cri de joie : « Ça y est, ils peuvent manger !!! » Ce soir, elle a rajouté : « Tu sais, maman, ne pas manger de la journée, c'est vraiment très difficile. C'est peut-être pour ça qu'ils sont énervés. »

La vérité sort si souvent de la bouche de ma fille.

## 21

Parfois, on a beau être dans l'un des pays les plus scrutés au monde, on n'est pas pour autant au fait de l'actualité. Mon niveau d'hébreu et d'arabe me coupe automatiquement d'une grande partie de l'information. Alors, quand je dégotte un *Jerusalem Post* édition française, il a beau être jauni, tout rabougri, je me jette dessus comme la misère sur le monde. « Mais si, Maya, je t'assure, cela va être bien de se poser pour prendre une petite boisson fraîche. »

Journal, terrasse, café glacé... Que demander de plus ? Mon enthousiasme est de courte durée. Le journal a beau être en français, je ne comprends pas la moitié des sujets abordés. Un peu comme quand on lit la presse à scandale qui fait référence à des tas de gens de la téléréalité que l'on appelle par leur prénom et dont on n'a jamais entendu parler. On aimerait faire partie des lecteurs concernés, mais on est un peu paumé.

Là, dans le *Jerusalem Post*, je ne sais pas qui sont les gens qui s'expriment, donc je ne mesure pas la portée de leurs propos. Ni même les enjeux. Si, quand même. Il y a bien un article qui m'interpelle sur l'éventuel service militaire des ultra-orthodoxes. Mais, comble de la frustration, là non plus, je ne saisis pas tout. Je le replie soigneusement dans ma besace, en quête d'interlocuteur plus au fait.

Heureusement, le soir, je dois retrouver Marie-Armelle à qui je peux demander de me faire une « traduction » dudit papier. Après *update* en bonne et due forme, j'y vois plus clair. De fait, il est question, depuis un an, que les religieux ne soient plus systématiquement et naturellement dispensés de service militaire. Le gouvernement ambitionne d'augmenter peu à peu le chiffre des religieux et des Arabes israéliens dans l'armée.

Les Arabes israéliens sont des Palestiniens qui, un jour ou l'autre, ont pris la nationalité. Assez naturellement, ils étaient dispensés de service militaire. Probablement pour qu'ils ne se retrouvent pas, tôt ou tard, à se battre contre leurs frères. Ce qui pourrait passer pour un traitement de faveur est aussi un biais de discrimination qui ne dit pas son nom. Ainsi, certaines entreprises n'embauchent que des employés capables de présenter leur certificat militaire.

Pour en revenir à nos ultra-orthodoxes, comme ils étudient la torah quarante-cinq heures par semaine, ils ne peuvent pas faire l'armée. Et il semblerait que certains petits malins s'inscrivent dans des écoles, juste pour éviter de faire le service militaire. Le gouvernement a alors décidé de faire des contrôles biométriques dans lesdites écoles pour débusquer les tires-aux-flancs. La décision ne fait pas l'unanimité, comme on l'imagine bien, mais elle aura le mérite de redistribuer les cartes !

J'en étais à peu près là sur le sujet quand, avec Marie-Armelle, nous sommes allées dîner avec quelques correspondants locaux des médias français. L'occasion d'en savoir un peu plus sur le sujet. Et, de fait, le questionnement est arrivé à point nommé.

Car, demain précisément, tous les ultra-orthodoxes qui ont reçu une convocation par l'armée doivent se présenter pour démarrer leur service. Sinon, ils seront dans l'illégalité, risqueront d'être arrêtés, avec au bout du compte, une sanction possible de cinq à sept ans de prison. Difficile de savoir comment cela va tourner. Le gouvernement va être conciliant ou il va s'engager dans un bras de fer ? Affaire à suivre…

Nous avons également évoqué le mouvement des indignés qui continue. La protestation s'est fissurée entre moult groupes, et autant de revendications. Ils ont plus de mal à se faire entendre. Pourtant, plusieurs personnes se sont immolées au mois de juillet. Mais pour détourner l'attention de cet épineux sujet, il semblerait que le gouvernement agite le drapeau de la menace des armes chimiques en Syrie.

Du coup, les distributions de masques qui avaient repris il y a un certain temps redoublent, car les gens sont évidemment beaucoup plus demandeurs. Je ne sais pas pourquoi, je ne peux pas m'empêcher de penser aux millions de vaccins contre la grippe qui n'ont pas servi à grand-chose en France.

Pendant cette soirée, j'ai aussi appris que dans trois jours, c'était la Gay Pride à Jérusalem. La seule occasion pour les trois religions de condamner unanimement un événement. Évidemment, je ne raterai cela pour rien au monde, car défiler à Tel-Aviv, c'est festif, alors que défiler à Jérusalem, c'est courageux, et incroyablement politique et militant.

À ce propos, j'ai découvert aussi, dans mes lectures, que la religion juive ne condamne pas la consommation d'alcool, et l'ivresse est même recommandée à certaines occasions. Par ailleurs, elle ne condamne pas les mères porteuses non plus, et les ultra-orthodoxes y voient au contraire un moyen de répondre au souhait de Dieu de croître et se multiplier. La preuve, s'il en est, que même en religion, chacun voit midi à sa porte.

En attendant, Maya continue sa réflexion philosophico-théologique sur le monde. Sorties du dîner, il est bien sûr tard. La lune est pleine et belle. « Dis, maman, tu te rends compte qu'au début la planète, elle était toute petite de rien. C'était juste un petit morceau, et après, tout a commencé. »

Là aussi, ce n'est qu'un début, on dirait.

## Blog de Michaël Blum[1]

Samedi 14 juillet 2012
Quelques questions aux Haredim

Alors que le débat sur l'enrôlement des jeunes juifs ultra-orthodoxes fait rage en Israël, je voudrais poser quelques questions à ce public qui refuse de s'intégrer à la société israélienne.

Voici d'abord quelques arguments entendus récemment par les Haredim pour ne pas servir dans Tsahal :

– « On ne peut pas renoncer à l'étude de la Torah. » Pourquoi mon fils et des milliers d'autres jeunes n'auraient pas aussi le droit de choisir cette voie ?

– « Ceux qui étudient, protègent par leur étude le peuple juif. » La preuve étant, sûrement, le fait que des milliers de jeunes juifs étudiaient la Torah en Europe de l'Est dans les années 1940.

– « On ne peut pas être religieux et servir dans Tsahal. » Pourtant, les sionistes religieux le font, et aussi quelques centaines de Haredim, sans compter qu'avec l'apport de milliers de jeunes religieux, la pratique de la Torah serait encore plus facilitée au sein de l'armée.

– « On ne peut pas interrompre l'étude de la Torah. » Et, quand il faut mettre les téfilines chaque matin, ou accomplir un autre commandement de la Torah, ils peuvent arrêter d'étudier. Pourquoi le fait de protéger le peuple juif n'est pas une mitsva pour les Haredim ?

Je pourrai continuer longtemps, mais je connais déjà les réponses à mes questions, qui se résument à dire que si les « grands de la génération » disent que c'est interdit, comment pourrais-je penser autrement ?

— ● ● ● —

---

1. Michaël Blum est un colon des environs de Jérusalem. Voir p. 43.

Citer tous les grands maîtres du judaïsme qui travaillaient et n'étudiaient pas la Torah en vivant, aux crochets des autres, ne sert à rien car « on ne peut pas comparer ». Je ne suis pas en faveur d'un service obligatoire pour tous, d'ailleurs 40 % des Israéliens non religieux ne font pas l'armée (contre 99 % des orthodoxes), mais cette conception du monde qui veut que certains aient des droits, sans devoirs, que certains peuvent mourir pour protéger le peuple juif alors que d'autres sont dans les yechivot (inscrits au moins) afin d'éviter de participer à cette mission que je considère comme sacrée, me choque au plus haut point. Cette semaine, j'ai parlé avec un des responsables de la Yechivat Hevron, l'une des institutions les plus renommées du monde haredi.

Cet homme m'a raconté qu'il avait fait des études pour apprendre un métier, mais quand je lui ai demandé s'il avait fait l'armée, il m'a répondu « *hass vechalom* », qu'on peut traduire par « que Dieu m'en préserve ».

Pourtant, à l'entrée de cette yechiva, qui touche par ailleurs des budgets de l'État, il y a un vigile portant la kippa et armé, dont la tâche est d'assurer la sécurité de l'établissement, pourquoi la yechiva n'engage pas un étudiant avec une Bible au lieu de ce vigile ?

Peut-être tout simplement de crainte qu'il ne lise l'injonction de Moïse aux tribus de Dan et Reouven, qui demandent à ne pas traverser le Jourdain afin de rester sur des terres propices au service divin (Nombres, 32, 1-6) : « Quoi ? Vos frères iraient au combat et vous demeureriez ici ? »

Nous ne sommes pas des « pigeons », comme se qualifient les manifestants pour l'égalité des devoirs pour tout le monde, car nous réalisons l'idéal du judaïsme, celui de conjuguer la participation active au monde, tout en conservant les valeurs spirituelles de notre héritage. Je ne peux que déplorer qu'une partie du monde juif ne le comprenne pas.

## 22

« COMMENT partager équitablement une même terre entre Juifs et Arabes ? Comment marier judaïsme et laïcité ? Comment concevoir un foyer national qui ne se transforme pas en ghetto ? Comment éviter que le sionisme ne se transforme en nationalisme ? »

Posée comme cela, la problématique a le mérite d'être claire, même si on visualise bien la difficulté de trouver les solutions. Mais c'est un peu comme en philo, déjà, si on a la bonne question avec les bons mots, c'est qu'on peut peut-être envisager de commencer à réfléchir.

Ce questionnement vient du livre *Le Songe d'Ariel* d'Alexandra Schwartzbrod[1]. Là où cela prend tout son sel, c'est quand on le remet dans le contexte du roman. L'idée de départ, c'est qu'un certain ex-Premier ministre dans le coma se réveille, de nos jours, et comme il a vu la mort bien en face, il décide de profiter de ce retour à la vie pour... apporter la paix dans le pays. Et ce sont précisément les premières questions qu'il se pose.

Un très beau livre, une véritable fable. Le récit soulève beaucoup de problématiques, d'incohérences, de difficultés, et on en revient toujours à la même chose. Plus on creuse le problème et plus il semble insoluble, car même avec les meilleures volontés du monde, on a l'impression qu'il y aura toujours un grain de sable.

Et puis, quant à l'idée de mettre tout le monde d'accord, il y a un sacré chemin à faire. Prenons un exemple,

---

1. Gallimard, 2012.

on pourrait croire que la grande majorité des Israéliens est, par essence, sioniste. Eh bien non, pour certains juifs religieux, le sionisme est à bannir.

Ils parlent d'occupation, de racisme, et même les plus extrémistes l'assimilent au nazisme. Si, si, j'ai vu une inscription sur les murs de Mea Shearim : sionisme = nazisme. Pourquoi ? Parce que le sionisme est, au départ, une démarche laïque. Donc forcément inacceptable.

Hier soir, je me suis plongée dans le catalogue de l'expo que j'avais vue au musée d'Israël et j'ai encore appris un ou deux trucs qui me laissent songeuse. Pour les anglaises, les mèches, les papillotes de ces messieurs, je ne sais pas trop comment les appeler pour ne pas être désobligeante, eh bien, certains hommes qui ont les cheveux raides, les frisent (fer à friser ? bigoudis ?).

Et là, un doute me taraude. Quelle est donc cette religion où les femmes doivent se raser les cheveux et les hommes se faire des bouclettes ? Dieu exige-t-il vraiment cela ?

Et puis, un petit détail concernant la liberté féminine...

Une femme qui ne suit pas les règles vestimentaires de la communauté met son mari en porte-à-faux. Elle sera évidemment assimilée à une traînée, mais son image à lui, au sein de la communauté, sera tout aussi fortement ébranlée. Une honte qui rejaillira sur leurs enfants, qui risquent de ne plus être éligibles à un mariage dans les règles de l'art. Forcément, madame a de quoi réfléchir à deux fois avant de raccourcir sa jupe ou d'oublier ses collants.

Dernière « anecdote », lorsque madame, au lendemain de son mariage, se fait raser les cheveux, sa mère est là pour la soutenir. Parfois, quelques très proches amies ou sœurs sont de la partie. Ces femmes lui offriront des cadeaux pour l'encourager, la féliciter.

Et qu'est-ce qu'on lui donne ? Soit de l'argent, soit des cadeaux utiles pour le foyer !

Sacré réconfort : t'as plus un poil sur le caillou, mais t'as une centrifugeuse dernière génération. Décidément, je remercie Dieu de ne pas m'avoir fait naître chez les Hassidim. Et je crois qu'eux aussi sont assez gagnants dans l'histoire.

Sinon... Nous avons profité d'une belle soirée de pleine lune pour explorer la vieille ville, à la fin du jeûne. Je n'aurais jamais imaginé l'ambiance du ramadan aussi festive. Une joie, une gaîté, une ferveur qui n'est pas sans rappeler nos fêtes de Noël. Les décorations et les lumières donnent une atmosphère tout simplement hors du temps.

Totalement inculte en la matière, j'ai ainsi appris que le ramadan est une période de « socialisation intense » où l'on en profite pour dîner avec les amis et la famille que l'on n'a pas forcément le temps de voir le reste de l'année. Dans les rues du quartier musulman de la vieille ville, toutes les échoppes sont ouvertes, la musique résonne sur les vieux pavés, les décorations scintillent, et des dizaines et des dizaines d'étales débordent de mets plus appétissants les uns que les autres.

Dieu merci, nous avions fait l'impasse sur le dîner et nous avons pu picorer toutes sortes de merveilles. Festival d'épices, farandoles de délices... Bon, je l'accorde, notre attitude a un côté « je mange à tous les râteliers » : on n'a pas fait le jeûne, mais on se fait plaisir comme vous. On s'est tellement régalées que la culpabilité n'a pas fait long feu.

Même la sortie de la prière et ses centaines de personnes dans la rue avait un côté joyeux. Pas l'ombre d'une tension ou d'une agressivité. Un pur plaisir.

Reste à savoir si la Gay Pride sera aussi sereine.

## 23

J E PENSAIS qu'une femme enceinte et une petite fille pouvaient attirer des sympathies en tout genre. De la compassion même, surtout par cette chaleur. Je ne misais pas dessus, non, mais je l'imaginais. Eh bien, ce n'est absolument pas le cas. J'ai tendance à me faire plus arnaquer que lors de mes précédents voyages, et j'ai parfois la furieuse impression d'être, soit invisible, soit quantité plus que négligeable.

« Ben oui, c'est normal. Ici, une femme seule, ce n'est pas bon signe », m'explique Alexandra, une très jolie trentenaire de religion juive. « Soit tu as été répudiée par ton mari, et autant dire, tu ne vaux pas grand-chose, soit tu es une femme légère, et alors là, c'est pire. » Hum, effectivement, vu sous cet angle, cela n'augure rien de bon.

Alexandra continue : « Tu sais, je vis ici depuis plusieurs années et je suis toujours impressionnée par la place de la femme. Quand on me rencontre, on ne me demande jamais ce que je fais dans la vie, mais toujours "vous êtes mariée ?". Comme j'ai 31 ans, et que ce n'est pas le cas, forcément, c'est que j'ai un truc qui cloche ! »

Un truc qui cloche ? Cette magnifique blonde aux yeux verts est chercheuse et professeure à l'université. Elle parle bien des langues et elle s'est convertie à la religion juive il y a quelques années. Elle pratique avec ferveur, mais ouverture d'esprit. Traduction : elle prône une lecture des écrits en lien avec les droits de l'homme, des opinions plutôt à gauche, et une vraie soif d'égalité entre tous (oui, tous : homosexuels, Palestiniens, hommes, femmes, etc.).

« Ici, le clivage gauche-droite n'est pas comme en France, PS et UMP. Non, ici, l'idée c'est d'être pour ou contre les territoires occupés », explique-t-elle. Pour sa part, elle a refusé la nationalité israélienne après avoir découvert Hebron qui, selon elle, est le lieu le plus effroyable du pays. Elle refuse cette nationalité, mais ne se voit pas vivre ailleurs. « Je suis presque à un point de non-retour. Je ne repartirai probablement jamais vivre en France. » Elle s'est habituée à l'agressivité ambiante et reconnaît avoir probablement, elle aussi, épousé cette attitude un peu brutale. « Mais, a-t-on vraiment le choix ? »

J'ai eu un vrai coup de cœur pour cette fille. J'espère la revoir. J'ai envie de découvrir la religion juive avec elle. À quelques années près, je pourrais être elle. Elle pourrait être moi. Après un déjeuner totalement autrichien à l'hospice (*spätzle* et *schnitzel*), je repars dans la vieille ville.

Ici, une sœur en tenue joue à la balle avec un Jack Russel survolté. Là, un homme prie en direction de l'est sur un bout de carton en guise de tapis. Au passage, un vendeur palestinien m'asperge sans un mot avec un pistolet à eau. Étrange, mais bien agréable par cette chaleur caniculaire.

Direction le parc de l'Indépendance, à deux pas du consulat américain. C'est le jour J de la Gay Pride, 10e édition. Autant la Gay Pride de Paris, je m'en moque, autant celle de Jérusalem m'intrigue. L'homosexualité et la Ville sainte sont deux concepts qui ne semblent pas forcément faire bon ménage alors je veux voir à quoi cela ressemble.

La police était sur le pied de guerre deux heures avant les festivités. Il faut dire qu'en 2005, des manifestants avaient été poignardés par des religieux. En l'air, hélicoptère et dirigeable sont là pour ne rien rater. Au sol, police montée mais aussi militaire en masse, et une unité spéciale, toutes de noire vêtues et armées jusqu'aux dents.

On parlait de cinq mille personnes attendues. Difficile à évaluer à vue d'œil. Mais en tout cas, l'ambiance était festive et surtout très familiale. Incroyable le nombre d'enfants de tout âge dont les parents n'étaient pas forcément gays.

Quelques kippas arc-en-ciel et deux ou trois dragqueens sur scène pour des playbacks de Cher ou Britney Spears.

Quelques rares travestis de Jérusalem sont de la partie, mais dans des tenues relativement sobres, type robes lamées dorées. On aurait pu attendre plus d'excentricités, mais n'est-on pas dans la ville la plus religieuse au monde ?

Au départ du défilé, l'ambiance musicale était pour le moins inattendue. Cornemuse avec des musiciens en kilt et quelques percussions très festives. La Bretagne version casher. Pas l'ombre d'une image provocante ou sexuelle. Tout est axé sur la tolérance, l'amitié, le plaisir d'être ensemble. Et pour la peine, cette ambiance bon enfant contraste sévèrement avec les hordes de militaires. Tout le trajet du défilé a été délimité et la circulation coupée par des bus garés en travers des routes  On annonçait une contre-manifestation du côté de Mea Shearim, le quartier ultra-orthodoxe, mais aux dernières nouvelles, il semblerait que l'on pouvait compter les participants sur les doigts de la main.

Sur le chemin, des curieux, mais pas tant que cela, et quelques rares religieux aux visages contrits. Cette Gay Pride est un joli message de tolérance dans une ville où chaque différence est source de tensions.

Sur le retour pour la maison, la fin du jeûne s'annonce. La fébrilité monte dans le quartier arabe, jusqu'à la détonation libératrice. Un feu d'artifice, paraît-il, et non pas un coup de canon comme on pourrait le croire !

Ma colocataire a acheté quelques spécialités délicieuses du ramadan pour dîner. Et une fois de plus, on navigue le plus naturellement du monde d'une culture à l'autre.

Du bonheur d'être une étrangère ici.

## 24

« TON NOM est vraiment Katia ?

– Oui.

– Tu sais, ici, à Rosh Pina, cela nous fait bizarre. Tu connais les Katioucha ?

– Euh, non.

– Ce sont les roquettes que nous avons reçues par centaines pendant la guerre du Liban, il y a six ans !

– Ah… »

Honnêtement, en général, j'aime bien mon prénom. Mais là, j'avoue, je suis à court d'arguments. Dieu merci, il n'y a pas l'ombre d'un reproche.

Juste un rapprochement ! Nous sommes donc à Rosh Pina, en Galilée. C'est le soir, nous sommes installés sur une magnifique terrasse, en train de partager un barbecue. Le soleil se couche sur le désert.

On sent une petite brise délicieuse et le ciel évolue vers d'incroyables dégradés de rose. La végétation luxuriante offre une atmosphère typiquement estivale. La chaleur diffuse une fragrance de poussière mêlée à la chlorophylle. Autour de la table, deux couples.

Dov se présente comme un autochtone de Rosh Pina. « Ma maison, que tu as vue, c'est celle où je suis né. Mais aussi mon père et mon grand-père. Ma fille, qui fait aujourd'hui l'armée, est la quatrième génération à habiter dans cette même maison. » Il doit avoir dans la soixantaine. Le cheveu gris en bataille, la moustache sympathique et la voix puissante.

Ici, nous sommes à une trentaine de kilomètres de la frontière libanaise.

« Avec les Katioucha, précise Dov, ce n'était pas forcément Rosh Pina que nos ennemis visaient mais la base militaire, qui est à quelques kilomètres. Ce n'était pas très précis. Souvent, on entendait siffler, et cela tombait près de chez nous.

– À côté d'ici, quarante-deux classes d'enfants sur quarante-huit ont été touchées par les missiles, confirme Aviva, notre hôte. C'était l'été, ils étaient en vacances, mais combien, à la rentrée, n'ont pas pu reprendre l'école ! Aujourd'hui, ils sont encore très nombreux à être traumatisés. »

Et elle sait de quoi elle parle, Aviva, car elle est bénévole dans un centre spécialisé en maladies mentales des enfants. Il y a les classiques cas d'autisme ou de troubles des comportements alimentaires mais il y a, donc, aussi ceux qui ne se sont pas remis de ce mois de guerre en 2006.

« De toute façon, la prochaine guerre sera forcément pire, conclut Dov.

– La prochaine, ce sera l'Iran, soupire Béatrice, l'épouse de Dov.

– Je préfère être optimiste, sourit Aviva.

– C'est l'histoire d'un optimiste et d'un pessimiste qui se rencontrent, répond Dov. L'optimiste dit : "Tu as bien une sale tête." Le pessimiste répond : "La situation est catastrophique, elle ne peut pas être pire." Et l'optimiste de lui répondre : "Mais si, bien sûr, cela peut toujours être pire." »

Tout le monde rit et la conversation part sur autre chose. C'est un classique ici, de naviguer de la gravité à la légèreté. Une légèreté jamais futile.

Ce soir, autour de la table donc, Aviva. Retraitée à l'énergie débordante et au sourire contagieux. Elle a grandi en Zambie, dans un couvent catholique. Sa mère était une réfugiée de Lituanie. Son père, d'origine marocaine, lui, était né à Gaza. Aviva a longtemps travaillé à l'OMS[1] et ainsi vécu dans bien des pays. Son mari, Avi, est juif autrichien. Une élégance et une certaine rigueur toute germanique que ne contredit pas une sympathie spontanée.

Dov, lui, est donc un pur autochtone. Sa femme Béatrice est Française catholique, installée à Rosh Pina depuis vingt-cinq ans. Elle fait de la pâtisserie française et ses tartes Tatin sont la signature de n'importe quel dîner réussi, dans le bourg.

Un bourg de deux mille huit cent habitants. Une enclave de verdure, de sérénité où vit un petit monde cosmopolite et plutôt très laïc. C'est un lieu de villégiature pour les israéliens, il y a d'ailleurs un petit aéroport qui permet de relier Tel-Aviv en une demi-heure.

Ce soir, nous avons, en guise d'apéritif, assisté à un concert d'un jeune groupe israélien qui nous interprétait le répertoire de Django Reinhardt. Installés dans un parc, les gens étaient en tenues décontractées (shorts, robes à bretelles...), c'était sabbat et personne ne semblait s'en soucier.

Quel bol d'oxygène, après Jérusalem. Surtout que, lorsqu'on montait, ce matin, dans le bus, c'était le début du jour de prière pendant le ramadan. L'armée et la police étaient de nouveau à cran.

Tout, ici, est différent. On appelle Rosh Pina « la petite Provence ». Et pour cause, vignes, pins, verdure, petit ruisseau et même criquets qui ressemblent à s'y méprendre à des cigales.

Et si ce coin de Galilée ressemble à un petit coin de France, c'est grâce au baron Rothschild. Il y a un peu

---

1. Organisation mondiale de la santé.

plus d'un siècle, il a décidé de donner un coup de main : construction de maisons, création d'un très beau parc paysagé, soutien financier... Son héritage est encore omniprésent.

D'ailleurs, l'esprit français se révèle par petites touches inattendues. Ainsi, le club de pétanque est très actif. Il est mené par un Suisse d'origine marocaine. Un francophile francophone qui échange ses *Canard Enchaîné* contre les *Nouvel Obs* de Béatrice.

« Il faut qu'on parle politique, tu sais », tranche Dov entre la dernière brochette et l'arrivée du dessert.

– Euh, oui ?

– Oui, je dois te parler de la politique de ce pays.

– Oh non, Dov, stp, pouvons nous faire un dîner sans parler politique ? hasarde Aviva.

– Tu sais, Dov, je ne suis pas encore sûre d'avoir le *background* pour parler politique avec toi.

– Quoi ? Katia, tu te dis journaliste et tu ne veux pas parler politique ? Tu vas parler de quoi dans tes écrits ? Des papillons et de la verdure ? Et encore, même cela peut être politique. »

Dov est peut-être né à Rosh Pina, mais il a quitté la ville de 16 à 46 ans et il a quelques faits d'arme à son actif. Ainsi, pendant la guerre des six jours, c'est lui qui était dans le char qui a forcé la porte des Lions pour reprendre la vieille ville de Jérusalem.

« Tu as ressenti quoi à ce moment-là ?

– J'ai surtout entendu le bruit du métal du char qui frottait contre les remparts. On s'est arrêté et on a vu qu'on passait à peine, et qu'après, c'était encore plus étroit. Il fallait reculer.

– Oui, surtout qu'après, c'est la Via Dolorosa, sourit Aviva. On y passe plus facilement avec une croix.

– Non, le moment fort pour moi, c'était vingt minutes avant, quand on a eu une vue plongeante sur l'emplacement du temple. J'ai arrêté tout le monde, j'ai dit aux gars de sortir la tête du char et de regarder. "Vous voyez ces deux mosquées ? Eh bien, si on les prend, cela en est fini de cette guerre." Oui, ce moment était fort. »

Il me raconte comment les journaux se sont emparés de lui sans qu'il ne le sache. On a raconté qu'à peine entré dans la vieille ville, il avait filé au Mur des lamentations, alors qu'en fait, il n'avait pu s'y rendre que deux semaines plus tard. « Ah, ces journalistes ! », conclut-il en souriant. Mais soudain, un voile semble s'abattre sur ses yeux rieurs.

Il se souvient de la route de Jéricho. Ils doivent zigzaguer entre les carcasses de véhicules, les traces de la guerre de 1948. Depuis plusieurs jours, cela fait partie de leur paysage. Jusque-là, rien d'exceptionnel.

Sauf qu'à un moment, il voit le cadavre d'un ado, un jeune berger palestinien. « Ce n'était pas juste. Cette guerre ne le concernait pas, lui. Il n'aurait pas dû perdre la vie. » À ce moment-là, ce jeune adolescent semble s'inviter à notre table. Quarante-cinq ans après cette guerre, son souvenir est si vivant que Dov en est encore profondément bouleversé. Et nous avec.

Dov ne veut pas dire colombe. Cela veut dire ours. Alors Maya lui propose de l'appeler Nounours. Il sourit. « Oui, ça me va, Nounours ! » Au moment de partir, il m'invite pour le café, chez eux, demain, à 17 heures.

« Oui, avec plaisir.

— Tu goûteras les quiches de Béatrice. Et ce sera peut-être l'occasion de parler politique. »

## 25

« E N 2006, après la guerre du Liban, tout le monde voulait aider les enfants du nord. C'est comme cela que l'association a vu le jour », explique Anna.

Anna est Russe, elle vit en Israël depuis 1974. Elle a un visage typiquement de l'Est, avec de belles pommettes saillantes et des yeux clairs qui ont vu tellement d'événements. Que ce soit dans son pays d'origine, ou ici en Israël. Ancien premier violon de l'orchestre philharmonique d'Israël, elle a été contactée en 2006 pour diriger Musicians of tomorrow[1].

L'idée, c'est de repérer, parmi les enfants défavorisés, ceux qui ont un don pour la musique. Et à partir de là, leur offrir un enseignement d'élite. Anna a aimé l'idée, elle a lâché sa vie de Tel-Aviv pour venir s'installer dans la petite bourgade de Rosh Pina.

Pour Anna, le violon, la musique, c'est l'histoire d'une vie. Son père était un violoniste à la réputation internationale. Alors forcément, on lui a mis l'instrument dans les mains dès le plus jeune âge. On lui a enseigné la musique avec une rigueur qui confère à la dureté. Souffrance, excellence, Anna n'a pas eu le choix.

La vingtaine arrivant, elle a hésité : épouser une carrière scientifique ou continuer le violon. Elle a fini par suivre la musique, et son destin. Au bout de quelques années, elle quitte l'URSS pour Israël.

---

1. Musiciens de demain (www.musiciansoftomorrow.com).

À la mort de son père, elle demande à sa mère de lui envoyer l'instrument de son père. Est-ce à cause de son exil ? Pour d'autres raisons ? Anna ne veut plus en parler, mais la tentative de sortir le précieux violon de son père vaut à la mère quelques années de goulag.

Malgré la souffrance, Anna continue sur le chemin de l'excellence. Jusqu'à la retraite, et cette nouvelle aventure.

Aujourd'hui, ils sont une quinzaine d'élèves entre 6 et 17 ans à suivre ses cours. Certains viennent tous les jours et font plus d'une heure trente de bus pour rejoindre Anna. Certains lâchent, car ils ne supportent pas le niveau d'exigence. Pour d'autres, c'est plus triste, ce sont les parents qui les retirent du projet car ils n'en voient pas l'intérêt.

C'est Aviva qui a voulu me présenter Anna. Quand elle peut, comme elle peut, elle aime lui donner un coup de main. « L'association offre à ces enfants des perspectives de vie et pour certains une carrière à venir », explique-t-elle, enthousiaste.

« Prenons, par exemple, Erez. Il est gravement obèse, à l'école, c'était un souffre-douleur. Aujourd'hui, il a trouvé sa place, il joue du violoncelle et du violon. Dans sa classe, il est maintenant respecté. Mieux dans sa peau, il a pris en charge son obésité et il suit un traitement. »

Erez le confirme. Aujourd'hui, non seulement à l'école il a des copains, mais au centre médical où il soigne son obésité, il est heureux de jouer pour les autres patients. Malgré une enfance de grande détresse, à 17 ans, il est maintenant un adolescent qui sourit de nouveau et qui tire une grande fierté de ses talents musicaux. Il a donné des concerts au Canada, à Vienne devant mille deux cent personnes, mais aussi devant des membres du gouvernement israélien. Et dans quelques jours, ce sera à Jérusalem. « Ces jeunes ont aussi joué pour Shimon Peres à la résidence présidentielle », rajoute Aviva.

Clairement, les plus âgés ne sont plus des amateurs.

L'exigence sans faille d'Anna paie, et ils jouent comme des professionnels.

Ce matin, petit concert privé pour des Russes du coin. Plus que des interprètes, ils vivent le morceau de Schubert qu'Anna leur a choisi. « Ce n'est pas un morceau de musique enfantine. Loin de là. C'est une composition de Schubert qui date de quelques semaines avant sa mort. C'est son testament, sa vision de la vie, et ils savent l'interpréter avec toute leur expérience propre », affirme fièrement Anna.

Barak vient aussi d'une famille dysfonctionnelle. Il ne peut pas toujours s'investir comme il voudrait car il doit s'occuper de ses petits frères. Il n'a que 13 ans, mais il en paraît au moins cinq de plus. Il joue la musique avec gravité. Comme si sa vie dépendait de chaque note.

Amit, lui, rêvait de prendre des cours avec Anna, mais il était déjà trop vieux selon elle. Il est venu régulièrement voir les répétitions, attendre. Elle a fini par lui donner sa chance. En dix-huit mois, il est devenu un concertiste exceptionnel. Peut-être celui dont elle est le plus fière.

« Un tiers de ces enfants ont une histoire familiale profondément triste, précise Aviva. La musique leur apporte non seulement un épanouissement, mais aussi un équilibre qui fait qu'ils deviennent, par ailleurs, d'excellents élèves à l'école. »

Elle a un petit faible pour Erez car elle le connaît aussi du centre de soin où elle fait du bénévolat. Là-bas, il est suivi pour son obésité si handicapante. « Avec Dov, nous lui servons souvent de chauffeur. Je lui ai acheté un agrandisseur de ceinture de sécurité qui est toujours dans ma voiture, sourit-elle. Je suis si heureuse de le voir progresser, s'épanouir. »

À la fin du concert, je file remercier et féliciter chacun des musiciens. Je ne suis pas une grande mélomane, mais ils m'ont impressionnée, bluffée, émue. Et leur fierté donne une idée du chemin parcouru.

En tant qu'étranger, on est sensibilisé aux Palestiniens, aux Bédouins, aux Éthiopiens et bien d'autres populations du pays, mais on oublie parfois que, parmi les Juifs israéliens, il y a aussi des cas sociaux, et des enfants en souffrance.

En rayonnant dans les cinquante kilomètres aux alentours, Musicians for tomorrow a probablement déjà dans son équipe le maestro de demain. Mozart n'est plus assassiné, il est ressuscité !

Une heure plus tard, avec Aviva, nous retrouvons les rues pavées de Rosh Pina. Elle vit dans cette ville depuis deux ans mais l'a totalement adoptée. À moins que ce ne soit l'inverse. La petite bourgade est fleurie avec goût, tout y est coquet. Le contraste avec les paysages désertiques est juste magnifique. On s'imagine volontiers en pionniers du XIX$^e$ siècle.

Sur les hauteurs, toutes sortes de petites maisons de l'époque du baron. Un temps abandonnées, elles furent récupérées dans les années 1970 par les hippies. Certains descendants des fondateurs de la ville n'ont pas du tout aimé cette évolution, alors on a peu à peu mis en place un programme de restauration.

Aujourd'hui, ces ruelles pavées (qui mooooooontent et descendent !) sont bordées de petites galeries d'art et boutiques en tout genre. Un esprit décontracté et hippy persiste, de manière fort agréable.

Au cœur de ce quartier pittoresque, la synagogue du baron. Sobre, elle s'intègre parfaitement au décor. Aviva me propose d'y faire escale. Nous entrons dans le petit espace pour les femmes. Je ressens une salve de regards désapprobateurs. Et pour cause, la femme du rabbin est en train de faire une lecture à un groupe de femmes en tenue « ultra-modestes ». Ni le moment ni l'heure pour le tourisme. Je me sens tellement prise en faute, qu'un quart de seconde, je me demande si je dois faire le signe de croix.

Ces religieux sont assez récents à Rosh Pina. Mais, pas de doute, ils ont décidé de prendre les choses en mains, s'accaparer la synagogue, instaurer leurs règles. Les habitants ancestraux ont bien essayé de se défendre, de garder certaines traditions (comme cette fête qui permet aux hommes et aux femmes de partager la salle principale de la synagogue), mais la vigueur et la détermination des nouveaux venus est impressionnante. Alors, les plus âgés baissent peu à peu les bras, et certains se résignent même à prier ailleurs. Décidément, les hommes en noir veulent vraiment tous les pouvoirs dans ce pays.

À Rosh Pina, il faut voir la vue sur le plateau du Golan. De tous les angles, elle est spectaculaire. Ce désert, ces montagnes à perte de vue. Selon la lumière, on peut avoir la sensation d'être face à la création du monde.

Il existe un belvédère particulier. Il a été aménagé par un père en mémoire de son fils, Nimrod, tué pendant la guerre du Liban, en 2006. Nimrod, ironie du destin, cela veut dire « celui qui a vaincu le tigre ».

Comme c'est sabbat, son père est là aujourd'hui. Le regard fier, mais les yeux humides.

« Vous vous rendez compte, hier, c'était la date anniversaire… » Il m'invite à écouter un enregistrement où son autre fils raconte à la fois la vue spectaculaire, et l'histoire de ce frère tué. Ce mélange de l'Histoire et de la tragédie est troublant.

Peut-être est-ce une manière de rattacher éternellement Nimrod à sa terre ?

On vient admirer la vue et on se retrouve à rendre hommage à ce jeune homme de 29 ans, beau comme une gravure de mode. L'esprit du père ne semble plus pouvoir quitter les champs de bataille. « Vous voyez, là-bas, c'est la frontière de la Syrie. Les détracteurs d'Assad se mettent de notre côté, pour être à l'abri. C'est fou quand même, on se retrouve à protéger nos ennemis. »

La Syrie, ce nom qui envahit nos médias depuis tant de mois, est en fait là. Comme une ombre, à une trentaine de kilomètres de nous.

« N'est-ce pas la plus belle vue de notre nord, ici ? » me demande-t-il, sans véritablement attendre une réponse. Il me tend un prospectus en hébreu. « Je sais, vous ne pouvez pas le lire, mais regardez, il y a l'adresse de notre site. L'occasion d'en savoir plus sur Rosh Pina et sur Nimrod. Savoir, par exemple, que Nimrod avait deux enfants, un appétit de vivre et un sourire communicatif, comme souvent chez ceux qui partent trop tôt.

– Quel bel homme, votre fils. »

Soudain, l'émotion l'étreint, les yeux brillent un peu plus. Je le sens partagé entre une certaine reconnaissance et l'urgence de contenir ses larmes.

Et c'est ainsi que nous repartons, avec un peu de Nimrod en nous.

## 26

L E PROBLÈME avec Israël, c'est l'hébreu. Enfin, pour moi,
c'est un problème. Ce matin, j'ai voulu me démêler
les cheveux avec du lait pour le corps. Bon, j'avoue, il
y avait une petite perversité à mettre cette bouteille-là
dans la douche. Mais, côté informations, les packagings
sont assez hermétiques. Seule la marque est en lettres
romaines, le reste est en hébreu. En ce qui me concerne,
cela pourrait tout aussi bien être du thaï. Pas le moindre
point de repère.

Parfois, c'est un peu compliqué. Par exemple, au restaurant. Certains n'ont pas de menu en anglais du tout.
Et en général, ce sont ceux où les serveuses parlent seulement hébreu. Dans ces cas-là, on regrette de ne pas
avoir souscrit au programme « Apprenez l'hébreu plus vite
que la lumière, en dix jours seulement » (pub découverte
dans le quartier German Colony de Jérusalem). Oui, car
l'hébreu a été simplifié pour que tous les arrivants puissent l'assimiler rapidement et efficacement. Je commence
vraiment à regretter de ne pas avoir fait l'effort.

Aujourd'hui, par exemple, à la piscine municipale
de Rosh Pina, comment savoir quels sont les vestiaires
homme, ou femme, vu qu'il n'y a pas de symbole dessiné ?
Sans parler du nombre de pancartes avec des consignes.
Les plus impressionnantes sont forcément celles sur fond
rouge. On a l'impression de passer à côté de l'info qui
pourrait nous sauver la vie.

Assez logiquement, plus on sort des circuits touristiques internationaux, plus de simples tâches semblent

compliquées. Planifier notre trajet Rosh Pina-aéroport de Tel-Aviv est pratiquement infaisable sans la bonne volonté d'Aviva. Sans parler de l'impatience des interlocuteurs dont le ton transpire le « hey, poulette, si tu veux venir chez nous, fais au moins l'effort d'apprendre l'hébreu, en plus, c'est une langue particulièrement facile. »

Véritable lien social entre toutes les communautés, l'hébreu est mille fois plus utilisé que l'anglais. Ici, à table, entre Aviva (de Zambie), Avi (d'Autriche), Béatrice (de France) et Dov (d'Israël), on fait l'effort de parler anglais pour Maya et moi, mais naturellement, l'échange se fait habituellement en hébreu. Le plus amusant, c'est quand Dov traduit un dicton yiddish en hébreu, pour finalement me l'expliquer en anglais, ou éventuellement en français. L'idée a intérêt à être sacrément forte, pour ne pas se perdre en chemin.

Plus je connais Aviva, plus je suis impressionnée par le nombre d'organisations pour lesquelles elle fait du bénévolat. Entre autres, elle s'est pas mal occupée de la communauté druze, dont bon nombre de membres souffrent d'une maladie liée à la consanguinité. En effet, il semblerait que, chez les Druzes, on accepte le mariage uniquement au sein de la communauté, avec une nette préférence pour les liens entre cousins. Ces recoupements génétiques engendrent donc une pathologie qui nécessite des greffes de reins ou de poumons, voire de cœur. Aviva suit les hospitalisations de pas mal d'enfants. Et pendant la guerre du Liban, en 2006, elle a hébergé plusieurs familles druzes qui, à cause des fameuses pluies de Katioucha, ne pouvaient réintégrer leurs foyers. J'apprends dans la conversation qu'il y a dix ans, l'enfant palestinien mort devant les caméras de France 2 aurait sauvé plusieurs enfants druzes.

Au bout d'un moment, je finis par lui demander de m'en dire plus sur ces fameux Druzes dont je n'avais jamais entendu parler.

« Les Druzes sont à mi-chemin entre les Arabes et les Juifs israéliens », m'explique Avi.

Et en effet, cette communauté s'est séparée de l'Islam au Xe siècle. Ils refusent la polygamie et se réfèrent de Jithro, le beau-père de Moïse. Ils considèrent les musulmans comme inférieurs à leur condition. Ils résident au Liban, en Syrie, et sur le plateau du Golan. Ils s'identifient au pays où ils vivent, tout en gardant leur identité.

Ainsi, ceux d'Israël parlent hébreu et sont très actifs dans l'armée israélienne. On les dit généreux, courageux et connus pour ne pas avoir peur de la mort. En effet, persuadés que les morts se réincarnent instantanément dans un nouveau-né druze, les décès sont vécus comme moins tragiques.

Les Druzes sont très discrets sur leur religion, par peur des persécutions. Aujourd'hui, les Druzes syriens, qui sont sur une partie du Golan, sont très partagés sur les affrontements de leur pays d'attachement. Mais selon Avi, Assad leur fout la paix et veille même à ce qu'ils ne soient pas concernés par le conflit. C'est étrange, mais j'ai toujours du mal à me dire qu'à trente kilomètres de nous, il y a le chaos syrien.

En fin d'après-midi, Aviva m'invite à faire la connaissance de l'une de ses voisines, figure locale de Rosh Pina. Elle s'appelle Nett et c'est une ancienne mannequin de Tel-Aviv. On raconte même qu'elle a été actrice.

Que fait-elle aujourd'hui à Rosh Pina ? Elle a rencontré la religion et décidé de démarrer une nouvelle vie. Elle crée des vêtements qui plaisent beaucoup aux religieux (attention, je parle des religieux classiques, non des orthodoxes).

« Netta a un don pour la décoration et l'agencement des couleurs. Sa maison mérite le détour », m'explique Aviva en poussant le portail. De fait, nous voici propulsées dans une enclave de verdure. Toutes sortes de fauteuils et banquettes sont recouvertes de tissus aux couleurs pastel et imprimés fleuris. Autant de petits coins qui invitent à la rêverie ou à la méditation.

Au sol, des éclats de miroirs et de verres polis guident le visiteur jusqu'à l'atelier à l'intérieur duquel la jeune quinquagénaire virevolte, au milieu de dizaines de robes et de tenues dont les teintes se déclinent du blanc au beige, en passant par quelques tissus doucement fleuris.

Dentelles anglaises, broderie, il y a un côté David Hamilton très romantique. Netta nous dévisage de ses yeux bleu glacier. Elle a incontestablement un talent qui saute aux yeux, mais pas forcément le sens du commerce. Disons qu'on peut la cataloguer dans le rayon beauté froide, mais on voit derrière cette distance se profiler la jeune fille qui a dû faire tourner bien des têtes.

J'aurais volontiers acheté une de ses tenues romantiques, type jeune fille en fleur. Mais tout dans son attitude m'en dissuade. J'ai la sensation qu'elle décide à qui elle veut bien céder ses créations.

Et quand Aviva l'invite à me faire découvrir sa maison, elle me scrute une fois de plus avec méfiance. Puis, elle acquiesce, sous réserve que nous enlevions nos chaussures. Aviva m'expliquera par la suite que la belle est connue pour ses humeurs. Aimable ou tout simplement odieuse, cela dépend des jours, sans qu'on sache trop pourquoi. Aujourd'hui, la température semble plutôt bof, bof.

Quand elle ouvre la porte de sa maison, je suis stupéfaite par la beauté des lieux.

L'espace respire étrangement la sérénité. Il y a du bourgeois bohème chic, du baroque rustique, du palais des mille princesses romantiques, un peu de hippy style et une touche d'Orient. La salle de bain aurait fait rêver Gaudí, avec ses dégradés de céramiques bleues ondulant avec élégance.

Le coin salon n'est pas sans rappeler le style gustavien, ce roi suédois qui avait su débarrasser le style Louis XVI de l'ostentatoire pour lui offrir l'élégance d'une rusticité pastel.

La chambre aux mille tentures promet des nuits de douceur. Maya et moi sommes époustouflées. On s'imagine vivre en douceur ici. Sur le haut d'une étagère, un portrait de rabbin rappelle que Netta a quand même épousé un mode de vie religieux qui paraît presque dissonant avec l'atmosphère des lieux.

« Netta, votre maison respire la sérénité. » Le petit rire sarcastique qui accueille ma remarque en dit beaucoup sur l'épanouissement de la propriétaire. Son travail extraordinaire est connu, et reconnu, dans le coin. On fait appel à ses services pour décorer des maisons. Le succès est au rendez-vous, elle vit de sa passion, et pourtant, tout le monde sait que Netta n'est pas heureuse.

Avec son incroyable chevelure précocement blanchie, ses yeux magnétiques, son corps élégant, Netta pourrait être une magnifique quinquagénaire. Seulement, elle est en train de se faner, elle manque cruellement de sourire, de soleil. Et je ne suis pas mécontente quand Aviva donne le signal du départ. Heureuse d'avoir vu ce lieu magique et ravie de m'éloigner de l'amertume.

Avant de repartir pour Tel-Aviv, avec Avi et Aviva, nous nous rendons chez Dov, comme prévu. Je n'en reviens pas de tout le bonheur que ces gens nous ont donné en trois jours.

« Je comprends pourquoi vous avez aménagé à Rosh Pina, c'est un petit paradis, une enclave douce et protégée. »

Aviva sourit. « Quand j'avais 5 ans, en Zambie, une de nos voisines venait de Rosh Pina. Elle avait quitté Israël car elle était tombée amoureuse d'un soldat britannique. Elle parlait si souvent de Rosh Pina. Ce nom-là m'intriguait. Quand nous avons décidé de vivre ici et que nous avons acheté la maison, j'ai repensé à elle.

Je me suis alors demandée comment elle avait bien pu quitter un endroit pareil pour suivre un soldat en Zambie. »

Il est 19 heures et la vue sur le plateau du Golan évolue de minute en minute. On entend les perroquets du voisin et la brise danser dans les arbres. Avi rit de bon cœur aux pitreries de Maya. C'est encore un de ces instants bénis des dieux, et pourtant, il va falloir monter dans un bus qui nous mènera à un train, pour aller à l'aéroport de Tel-Aviv. Je dois faire un saut de puce en France pour raccompagner Maya.

Les vacances ensemble sont finies. Le périple s'annonce chargé. Bus, puis train, puis avion, puis encore avion. Nous allons voyager toute la nuit. Alors que nous montons dans le bus, elle embrasse Aviva et lui dit : « Merci Aviva, c'était comme de la famille d'être chez toi. » Oui, c'est exactement cela, comme de la famille. Nous nous installons et Aviva glisse quelques mots en hébreu au chauffeur, visiblement elle lui demande de veiller sur nous. Le paysage commence à défiler et nous laissons échapper un soupir de nostalgie. Maya s'exclame « Au revoir Rosh Pina ». Puis, elle se tourne vers moi, et me dit le plus simplement du monde : « Tu sais, ce voyage, il est vraiment bien, il m'a fait grandir !!! »

Et oui, partir, c'est grandir un peu !

# 27

*Mardi 7 août 2012*

« VOUS VENEZ de quel vol ?
– Paris *via* Istanbul.
– Vous ne comprenez pas ce que je vous demande ?
– Comment cela ?
– Ben, vous venez de quel vol ?
– Istanbul.
– Quel vol ? »
Encastrée dans une boîte d'allumettes géante, la femme, agent de sécurité, m'aboie littéralement dessus, sans même avoir dit bonjour.
Vu qu'il est minuit passé, que j'ai voyagé depuis un paquet d'heures, je suis moyen au point au niveau de l'élasticité d'esprit nécessaire à la diplomatie.
« ...
– Air France ? El Al ? C'est simple ! crie-t-elle.
– Pegasus. »
Je supporte de plus en plus mal le ton « on vous parle comme à des chiens parce que vous êtes forcément des terroristes qui vont mettre le feu à notre pays ».
« Vous venez pour quoi ?
– Vacances.
– Toute seule ? (Le ton employé traduit de manière assez limpide le « tu me prends vraiment pour une abrutie, je sais que tu trafiques avec les Palestiniens ».)
– Oui, toute seule.
– Pas d'ami ? Pas de famille ?

147

– Non, je suis seule.

– (Elle émet un râle d'exaspération profonde.) Je vous demande en Israël, pas d'ami, pas de famille ?

– Non, pas d'ami, pas de famille.

– Vous allez faire quoi ?

Ça, on m'a appris que la bonne réponse c'est : « Prier. »

– Vous allez loger où ?

– Au couvent Ecce Homo (ben oui, je ne vais pas leur dire que je rejoins mes copines dans la coloc' à Jérusalem est).

– La réservation !

– Pardon ?

– Je veux la réservation et votre billet d'avion.

Je tends le billet d'avion et la réservation, forcément, je n'en ai pas puisque je vais retourner dans ma coloc'. »

Elle finit par littéralement me jeter mon passeport à la figure en marmonnant un truc en hébreu. Je n'ai même pas le temps de souffler que déjà deux agents de sécurité viennent s'occuper de mon cas.

« Bonjour, nous travaillons pour la sécurité. »

Et c'est reparti pour les mêmes questions. Avec en prime :

« Pourquoi vous êtes venue plusieurs fois en Israël ?

– Pour connaître le pays.

– Vous êtes toujours venue seule ?

– Non, la dernière fois j'étais avec ma fille.

– Pourquoi elle n'est pas là ?

– Elle est avec son père.

– Pourquoi son père n'est pas là ?

– Parce qu'on est séparé.

Alors, forcément, il regarde mon ventre de femme enceinte d'un air inquisiteur.

– Mon petit ami travaille, il ne peut pas voyager avec moi.

– Alors, vous allez faire quoi, seule ?

– Prier.

– Vous connaissez des gens ?

– Non.

– Vous connaissez forcément des gens ici après plusieurs fois.

– Non, pas vraiment.

– Votre réservation. »

Et là, je me dis que je les déteste. Que ma joie de revenir aura été de bien courte durée. Je respire profondément et me concentre pour ne pas l'insulter. C'est fou ce que mon anglais peut être grossier quand ma pression atmosphérique intérieure s'emballe. Je respire. Je respire. Je respire.

« Je n'ai pas de réservation sur moi. »

Il va parler à ses collègues. Dieu merci, un couple de jeunes, visiblement bien paumés, genre « on fume des pétards et on vient s'éclater en Israël », semble plus dangereux que moi. Mon comité d'accueil décide de plutôt se charger de leur cas.

On me tend mon passeport. « *Welcome in Israel and have a nice stay*[1]. »

T'as raison, un beau séjour. En exactement vingt-quatre minutes, vous venez de me donner envie de rebrousser chemin à pied et d'insulter votre pays entier. Il est donc une heure du matin. L'heure de prendre la route vers la ville de la paix, la ville trois fois sainte, ce fameux nombril du monde, j'ai nommé Jérusalem.

J'ai cette incroyable impression d'avoir oublié quelque chose. Au début, je me dis que c'est le fait d'être sans Maya. Je me sens nue. Puis, la sensation se fait plus précise. J'ai effectivement oublié dans l'avion mon sac *duty free* avec mon Eau d'Hadrien. En temps normal, je ferais demi-tour pour tenter de récupérer mes affaires. Là, comment dire ? Plutôt me couper une jambe. Même si j'adore cette fragrance, douceur d'agrumes parmi les délices de l'été. Même si je me voyais déjà virevolter dans

_____

1. « Bienvenue en Israël, et passez un beau séjour. »

les rues de Jérusalem avec mon sillon de fraîcheur. Mon orgueil a un prix : 72 euros.

Pendant mon vol, je me suis plongée dans l'excellent magazine de Marie-Armelle. Un bimestriel qui s'appelle *Terre Sainte* et qui s'adresse aux pèlerins. Dit comme cela, c'est sûr, on est loin des *Inrocks*, et cela ne fait pas forcément rêver. Pourtant, chaque numéro est toujours bourré d'articles intéressants. Mes préférences vont souvent aux papiers société qui méritent le détour.

Finalement, c'est assez rare les articles société car la presse (enfin celle que je peux lire ou déchiffrer) s'intéresse principalement à des questions politiques ou en lien avec le conflit. Il est assez difficile, donc, de trouver des lectures qui nous informent sur les modes de vie ici, les questions du quotidien.

Cette fois, un article fort intéressant sur un sujet qui me tient à cœur. Les ultra-orthodoxes, et de surcroît, leur rapport avec l'armée.

L'article commence par un témoignage. « La Bible est notre arme. Elle protège les hommes autant que l'armée. » En fait, on apprend que les Haredims ne sont pas contre l'armée en tant qu'institution et qu'ils comprennent bien son utilité. En revanche, ce qui pose problème, c'est son organisation séculière, qui va à l'encontre de leurs codes de vie. En effet, s'ils font leur service, ils doivent demander des permissions pour aller prier, ils sont obligés de patrouiller pendant le sabbat. Ils sont en contact avec des postes de télévision, les filles et les garçons dorment dans la même pièce, et la nourriture n'est pas forcément casher. Bref, ils font une incursion dans le monde du diable, et cela menace sérieusement leur mode de vie religieux.

Il existe cependant des corps d'armée qui peuvent s'adapter à leur mode de vie, comme la maintenance de l'électronique des forces de l'air et l'unité d'analyse des services secrets. Là, les femmes sont absentes, la nourriture est casher et il est possible d'aménager de longs temps de prière. Mais forcément, ce ne sont pas quelques unités qui peuvent absorber l'ensemble de la communauté. Alors, si, dans trois semaines, le gouvernement décide que leur service militaire est obligatoire, il va falloir qu'ils s'organisent, s'habituent. Forcément, cela ne se fera pas sans heurt. Dans l'article en question[1], l'un d'eux explique qu'ils trouveront d'autres moyens pour ne pas faire l'armée, et étudier la Torah en prison pourrait être l'un d'eux. Bref, le feuilleton n'est pas terminé.

En parlant de feuilleton, j'ai une autre source d'étude et d'observation de la vie en Israël.

Je regarde une série qui marche très fort ici et qui se déroule à Jérusalem. Cela raconte l'histoire de cinq copains trentenaires qui vivent dans deux colocations. C'est *Friends*, me direz-vous. Oui et non.

Car effectivement, ils sont copains, mais ils sont surtout juifs religieux. Et croyez-moi, la vie amoureuse des Juifs trentenaires, quand on est religieux, est non seulement complexe, mais aussi riche en rebondissements. Les règles de vie et les pièges sont nombreux. Aucune scène dénudée, ni même de rapprochement à proprement parler, mais alors d'innombrables cas de conscience et des questions assez simples, comme :

– Comment suivre son cœur ?
– se marier au plus vite ?
– sans sortir des clous ?
– ni décevoir son rabbin ?

La première saison s'intéressait à une (très jolie) fille de rabbin qui, peu à peu, décidait de quitter la vie religieuse.

La saison deux est consacrée à sa meilleure copine qui finit par se marier (et Dieu sait si c'était important pour elle) et découvre donc la vie de couple. Au troisième

---

1. Houvenaeghel, Fanny in *Terre Sainte*, août 2012.

épisode, le mariage n'est toujours pas consommé. Au quatrième, elle achète un test de grossesse.

On a du mal à imaginer, en France, un *Plus belle la vie* qui se passerait chez les cathos tradis. Et pourtant, c'est un succès énorme. J'ai eu toutes les peines du monde à trouver le coffret de la saison deux.

C'est plutôt bien joué, presque bien filmé, et pas désagréable à regarder. Cette incursion dans la vie de ces jeunes gens qui ont une vie sociale, des vrais métiers (l'un est médecin, une des filles a un poste à responsabilité dans une entreprise, celle qui a quitté la religion travaille dans un bar non casher, etc.), permet de voir comment les religieux respectueux vivent leur vie. Une belle manière de regarder par le trou de la serrure, sans culpabilité, et se rendre compte, qu'hormis une vie très compliquée parfois, ils sont finalement assez normaux.

---

**www.slate.fr**
*Srugim*, les *Friends* orthodoxes d'Israël

*Ils sont trentenaires, célibataires, et vivent en collocation. Ils ne se retrouvent pas à Central Park mais pour le repas de sabbat. La série d'Eliezer Shapira s'inspire de la société israélienne, divisée entre laïcs et orthodoxes.*

« Marécage » : c'est le surnom doux-amer d'un quartier de Jérusalem, Katamon, refuge des célibataires religieux dans la vingtaine (bien) entamée, ou la trentaine dépassée. Ils font sabbat, respectent les commandements du judaïsme à la lettre, sauf un : le statut marital. La *bitzah* (« marécage » en hébreu) y prend tout son sens.
« Je pense que ce mot vient de l'idée que le judaïsme est ancré dans la vie de famille et que, quelque part, les célibataires n'existent pas, un peu comme s'ils étaient

● ● ●

perdus dans la vase », analyse sarcastiquement Eliezer Shapira. Religieux, 35 ans, fraîchement marié (« comme quoi tout arrive »), il est le créateur d'une série télévisée, *Srugim*, devenue un véritable phénomène culturel en Israël, un *Friends* à la mode religieuse qui a élu domicile dans la bitzah : la même bande d'amis (religieux), les « *date* » ratés, les triangles amoureux et l'horloge biologique qui s'accélère...

Jérusalem a remplacé New York et le repas de sabbat, le café au Central Park. À la différence près que la religion n'est jamais bien loin.

Au départ, Eliezer Shapira voulait nommer sa série d'après un autre phénomène télévisuel new-yorkais : un « Sex and the Holy City » dans la Jérusalem, trois fois sainte.

Mais le jeu de mot aurait été risqué dans un décor à l'ADN religieux aussi marqué. *Srugim* correspond finalement davantage au concept. En hébreu, cela signifie « kippas tricotées » : la marque religieuse des orthodoxes modernes et sionistes.

À noter que chaque communauté a sa kippa, véritable passeport social : la kippa en velours noir pour les orthodoxes stricts, la kippa blanche pour les Juifs yéménites.

La kippa tricotée n'est certainement pas la plus facile à porter. Modernes, indépendants, mais également profondément pieux, les cinq héros de *Srugim* sont écartelés entre deux mondes : laïc et religieux.

Eliezer Shapira : « *Les personnages partagent la même culture que le monde laïc, regardent les mêmes programmes à la télé et recherchent la réussite personnelle, tout en partageant un système de valeurs et une pratique religieuse qui les rapprochent du judaïsme orthodoxe.* »

Difficile, ainsi, de découper d'un trait net un pays entre les laïcs et les libéraux de Tel-Aviv et les orthodoxes (voire ultra) de Jérusalem. La communauté de la bitzah veut se situer au milieu. Un exercice délicat tant la société israélienne s'est polarisée, avec un avantage pour les religieux. Les analystes prédisent un affrontement inéluctable entre ces deux mondes. Les Israéliens se définissant comme religieux ont augmenté de 16 % dans le pays, et 26 % à Jérusalem (source : Jerusalem Institute for Israel Studies). La proportion des laïcs, légèrement majoritaire (52 %) en 1999, est à présent de 46 %, avec une baisse de 10 % à Jérusalem, soit près de 55 000 personnes qui ont déserté la Ville sainte ou évolué dans leurs convictions religieuses.

Le pays a d'ailleurs été en proie, ces derniers mois, à une série d'incidents « religieux » dont le point d'orgue fut l'agression, en décembre, d'une petite fille de 9 ans, au motif qu'elle portait une tenue jugée « indécente » dans les rues de Beth Shemesh, en banlieue de Jérusalem. Un épisode qui avait beaucoup choqué l'opinion israélienne, ravivant les tensions entre laïcs / libéraux / orthodoxes modernes / ultra-orthodoxes.

Aussi, dans un tel contexte, la série *Srugim* est un pari risqué : entre des téléspectateurs laïcs peu intéressés, voire irrités, par une série considérée « trop » religieuse et moralisatrice, et des téléspectateurs orthodoxes parfois offensés par un miroir télévisuel trop « caricatural », dont l'objectif serait uniquement d'appuyer sur les failles pour nourrir des intrigues, en faisant l'impasse sur le bonheur religieux.

« On a l'impression que les héros sont piégés par les interdits. Qu'ils ne pratiquent pas par choix, mais par devoir. La série ne montre pas l'épanouissement que la religion peut procurer », explique un orthodoxe « moderne » de Jérusalem.

« Évidemment, pas de problème, pas d'intrigue et donc pas de série. Mais notre objectif est, au final, de rapprocher les mondes laïc et orthodoxe, de montrer que certaines questions sont universelles. Même si la manière de les aborder est différente », répond Eliezer Shapira.

## La « mort subite » du célibat

C'est la marque de fabrique de la bitzah. Les cinq héros de Srugim (trois filles, deux garçons) sont à l'orée – voire ont dépassé – le cap psychologique des 30 ans. L'une est graphiste, l'autre expert-comptable, médecin, ou professeur.

Comme dans Friends, ils vivent en colocation. Il y a l'appartement des filles et celui des garçons. Il y a aussi le « divorcé » malheureux comme Ross, l'handicapé du sentiment, la romantique, la carriériste au sale caractère... Ils sont tous sexy et vivent leur célibat bon gré mal gré. Les comptes se règlent tous les vendredis soirs, durant le repas de sabbat. Avec la religion et la politique en embuscade.

Célibat « tardif » : rien de bien nouveau sous un soleil européen, mais une tendance inédite dans la communauté juive pratiquante, a fortiori à Jérusalem. David Ribner, sexologue et professeur à l'université Bar-Ilan l'analyse dans le Jerusalem Post : « Ce célibat massif est unique dans l'histoire (juive). Il est devenu une question importante pour la communauté, mais nous ne savons pas comment y faire face. »

Le judaïsme – comme toutes les religions, dès lors qu'on l'attache à une certaine orthodoxie – a tendance à considérer les célibataires tardifs comme une dérive contre-nature. Le moteur religieux (la famille, les enfants, la transmission) étant à l'arrêt.

Un schéma qui commence à irriter toute une génération d'orthodoxes dit « modernes », y compris à Jérusalem, « la pratiquante ». Deux célibataires ont ainsi créé un blog, HaBitza, (du nom de ce marécage de célibataires perdus) où elles expriment nombre de leurs frustrations. « Je suis descendue dans la rue et, avec délectation, j'ai attendu de voir si nous allions tous mourir de la "mort subite" du célibat », écrit Deena Levenstein. Une réplique grinçante pour répondre à l'initiative d'un député issu du parti national religieux : créer de véritables « commandos » de « faiseurs de couples », dont la mission serait de sillonner Israël pour marier 50 000 célibataires religieux.

### Sexe ou pas sexe ?

« Le célibat tardif pose un problème à la communauté religieuse. Car plus les années passent, plus la question du sexe – hors mariage – se pose avec acuité », explique le réalisateur Eliezer Shapira.

Le judaïsme n'échappe pas à la règle d'or des religions : les rapports sexuels se conçoivent uniquement dans le cadre du mariage. Mais difficile, passée la vingtaine/trentaine, d'aller à des rendez-vous tout en limitant au maximum les effusions. Aussi, loin des tribulations sexuelles des quatre célibataires new-yorkaises, les héros de *Srugim* se conforment plus à « *City minus sex*, plus religion ».

Mais la série ne fait pas l'impasse sur les dilemmes intimes de ses protagonistes. L'héroïne qui les illustre le mieux est, sans doute, Hodaya.

Fille de rabbin, elle fréquente dans la première saison un laïc aux antipodes de son milieu. Après avoir éludé tout rapprochement physique, elle décide de faire le grand saut. Sans pour autant renier complètement ses pratiques religieuses.

Elle se rend alors au mikvé. Lieu central du judaïsme, les femmes viennent s'y plonger dans un bain rituel, prélude à des rapports sexuels avec leurs conjoints. Mais,

Hodaya n'est pas mariée. Une pratique, interdite en théorie, mais qui est aujourd'hui soutenue par les féministes orthodoxes, comme celles du mouvement Kolech (cela se prononce « colère »).

« Les femmes pratiquantes sont de plus en plus nombreuses à avoir des rapports sexuels hors mariage. Certaines vont au mikvé car elles ne veulent pas se couper complètement de la religion. C'est interdit, en théorie, mais on ne demande pas leur certificat de mariage à l'entrée », explique Eliezer Shapira.

*Srugim* navigue en eaux troubles. La série a reçu moult condamnations et avertissements. Un rabbin du courant national-religieux, Shlomo Aviner (duquel se revendiquent pourtant les héros de *Srugim*), a formellement interdit à ses fidèles de regarder le programme.

## Je chante (et alors ?)

Orthodoxe, célibataire et carriériste. L'ambitieuse de la bande, Reut, gagne plus de 3 000 euros par mois en tant qu'expert-comptable. Un salaire très élevé à Jérusalem, l'une des villes les plus pauvres d'Israël. Le salaire moyen atteint à peine le tiers du revenu moyen national, fixé à 1 500 euros.

Mais ce statut s'avère être un obstacle sur le marché des célibataires religieux, inquiets pour leur statut de mâles dominants (certes, une inquiétude masculine universelle au-delà des orthodoxes de Jérusalem).

L'affaire se corse encore lorsque Reut se met en tête d'apprendre à chanter l'un des textes sacrés de la Torah. Le problème est qu'elle compte apprendre avec un scrupuleux étudiant en yeshiva. Reut se confronte alors à un principe de la Halakha (la loi juive) respecté par une majorité d'orthodoxes : l'interdiction pour un homme d'écouter une femme chanter, en particulier s'il la connaît.

Sa voix pouvant éveiller le désir. Mais en tant que religieuse et féministe, Reut cherche à briser cette règle. Cet épisode a une résonance particulière avec l'actualité, au vu des affrontements qui ont opposé, cet hiver, laïcs et orthodoxes en Israël.
L'une des polémiques concernait la place du chant féminin, en particulier dans l'armée. De plus en plus de soldats religieux refusent d'écouter chanter leurs consœurs lors des cérémonies de Tsahal. Même à la Knesset, le parlement israélien, une loi non écrite établit qu'aucune chanteuse ne participe aux manifestations officielles du parlement, pour ne pas heurter les plus religieux.
À côté de cela, Israël est l'un des rares pays au monde à avoir choisi une femme pour présider la Cour suprême. Toujours ce grand écart qui déroute et qui séduit à la fois.

## Le tabou de l'homosexualité

Dans la grande famille de *Srugim*, il y a également le beau gosse orthodoxe, mais homosexuel refoulé. Personnage désormais classique dans les séries « urbaines », mais hautement polémique pour un programme religieux.
Si cette identité s'affirme pleinement dans la « bulle » de Tel-Aviv, véritable carrefour gay, l'homosexualité a tendance à être considérée dans la communauté orthodoxe comme le mal du monde laïc, donc forcément absent du leur.
Néanmoins, depuis quelques années, de nouvelles associations se proposent d'aider les gays pratiquants. Le « diagnostic » est de plus en plus accepté, mais les « remèdes » proposés restent controversés. Comme celui d'un rabbin, Areleh Harel, qui a lancé un programme pour marier gays et lesbiennes orthodoxes, soit l'idée de respecter les principes de la loi juive (le mariage, les enfants...) tout en ne reniant pas complètement son identité.

Dans ce contexte, *Srugim* choisit le principe de réalité plutôt que celui de l'*happy end* du gay qui s'assume. Roy décide jusqu'au bout de taire son homosexualité, se marie et devient encore plus orthodoxe. Avec, en bandoulière, un sentiment de culpabilité devant les épreuves de fausses couches de sa femme.

Après trois saisons, *Srugim* a réussi son pari : rendre « sexy » une communauté perçue comme figée par les non-initiés ; virevolter de part et d'autre d'une frontière qu'on disait infranchissable entre laïcs et orthodoxes. Même si la série a eu davantage de difficultés à se faire accepter par les seconds. Les débuts ont été laborieux. Pour la deuxième saison, ce sont des affiches publicitaires qui ont provoqué la colère des autorités rabbiniques au motif qu'elles « tournaient en dérision » des textes sacrés.

La troisième saison, elle, n'a provoqué aucun drame. Preuve que la série s'est installée dans le paysage israélien.

Hélène Jaffiol

## 28

« T'ES ALLÉE à Yad Vashem ?

– Non, franchement, le mémorial de la Shoah, je n'ai pas le courage.

– Katia, si tu ne vas pas à Yad Vashem, tu ne comprendras jamais le peuple juif. »

Alexandra a marqué un point. Moi qui me targue de vouloir cerner un minimum les lieux, cette ville, j'allais, par manque de courage, passer à côté du lieu probablement le plus chaudement recommandé par le *Guide du routard*. En même temps, aller se plonger dans le plus grand fléau du XX$^e$ siècle. Ouais… bof, bof.

Bon, bref, m'y voilà. Je tiens à préciser que c'est à l'autre bout de la ville. Voire presque en dehors de la ville. Qu'il est nécessaire de prendre plusieurs moyens de transport. Eh bien, non seulement j'y suis arrivée sans embûche, mais en plus, sans prise de bec. C'est important de le souligner car, comme on dit, « qui veut aller loin ménage sa monture », et mon ego a besoin de cette petite *standing ovation*.

Yad Vashem, c'est un immense parc sur une des collines, à l'ouest de la ville, la colline du souvenir. C'est aussi un musée et bien d'autres aménagements qui permettent à la fois d'appréhender, de rendre hommage, et de se souvenir des différents aspects de la Shoah.

Le bâtiment où est abrité le musée est l'œuvre de Moshe Safdie. Plus je découvre ses œuvres, plus je suis impressionnée. Le bâtiment représente une moitié de l'étoile de David, puisque la moitié de la population a disparu lors de la Seconde Guerre mondiale. Le symbole est fort mais la découverte du bâtiment l'est encore plus. Safdie a toujours le don de trouver le ton juste. C'est beau, c'est élégant, on ne se sent pas écrasé et l'atmosphère invite au recueillement.

Pourquoi Yad Vashem ? Tout simplement en référence au verset 56, chapitre 5 d'Isaïe. « Et je leur accorderai, dans ma maison et dans mes murs, un monument et un nom (Yad Vashem). Je leur accorderai un nom éternel qui ne s'effacera jamais. »

Et c'est bien là toute la beauté du lieu. Hormis l'objectif de raconter l'Holocauste de manière intelligente et incroyablement pédagogique, les lieux ont une mission : redonner une place, un nom et une histoire aux six millions de disparus.

La première installation est une vidéo de onze mètres de haut qui, comme une sorte de beau plan séquence, est un collage de photos et de films d'époque où l'on découvre des fragments de vie de familles juives à travers l'Europe. Il nous est expliqué l'incroyable vitalité culturelle de toutes ces communautés. Et tout de suite, le ton est donné : ce musée a pour vocation de leur redonner vie, et non de les enterrer.

Chaque étape du processus, de 1933 à 1945, est accompagnée de témoignages et d'histoires (souvent intimes) qui humanisent profondément ce cours d'histoire. Étrangement, le circuit est assez serein et on ne ressent pas une haine féroce envers le peuple allemand. Juste un compte rendu des faits, mis en perspective de manière extrêmement fine et intelligente.

Les nombreux films, les objets récupérés dans les camps, les vêtements, sont autant de preuves que tout cela a bien existé, et pourtant, plus on avance dans l'horreur et moins cela semble possible, compréhensible, imaginable.

À la fin du parcours, la libération. Les images festives sont mises en perspective avec celles de l'ouverture des camps. Mais bizarrement, il n'y a pas de voyeurisme. Juste un témoignage des faits.

En voyant ces films, ces photos des camps, on est hypnotisé.

Peut-on être si proches de la mort et encore vivants ? Ces yeux qui crient en silence. La flamme peut-elle repartir ?

Vient alors la dernière étape. Celle d'après, du retour à la vie.

De l'incapacité, au départ, des survivants de vivre, de repartir. Certains restent à proximité des camps, dans de nouveaux camps.

Comment rentrer ? Pour aller où ? Leur famille ne sera plus là. Ceux qui rentrent dans leurs pays font face à des réactions antisémites violentes. Ceux qui arrivent finalement en Israël ne sont pas forcément bien accueillis. Les Britanniques ne veulent pas d'eux et les Juifs locaux ne comprennent pas ce qui s'est passé. Les survivants sont libres, sans pour autant être libérés. On devine l'immensité du chemin à parcourir.

Puis, vient un poème de Benjamin Fondane, dramaturge, philosophe et cinéaste roumain naturalisé Français. À Auschwitz, où il sera gazé, il écrit un long poème. Sous ses mots, c'est la tragédie tout entière qui se dessine.

Un jour viendra, sans doute, quand le poème lu
se trouvera devant vos yeux. Il ne demande
rien ! Oubliez-le, oubliez-le ! Ce n'est
qu'un cri, qu'on ne peut pas mettre dans un poème
parfait, avais-je donc le temps de le finir ?
Mais quand vous foulerez ce bouquet d'orties
qui avait été moi, dans un autre siècle,
en une histoire qui vous sera périmée,
souvenez-vous seulement que j'étais innocent

et que, tout comme vous, mortels de ce jour-là,
j'avais eu, moi aussi, un visage marqué
par la colère, par la pitié et la joie,
un visage d'homme, tout simplement !

L'extrait de ce poème bouleversant est l'introduction au Dôme des Noms. Ici, trois millions de noms de victimes de l'Holocauste sont conservés. Des traces de vie, des photos, des témoignages. L'objectif des chercheurs est de réussir à retracer l'histoire des six millions de victimes. Savoir toutes ces vies répertoriées dans un même endroit est comme un soulagement. Une part d'humanité leur est rendue, le monde du départ est un tout petit peu sauvé.

Émouvant, sans que l'on sache vraiment dire ce qui bouleverse le plus. Les visages que l'on voit, les dossiers accumulés, notre impuissance, les mots de Benjamin Fondane ?

Alors, en sortant, la déambulation dans le parc est bienvenue. On serpente dans une promenade où chaque arbre rend hommage à un homme. Ce sont les justes qui ont sauvé des vies. Peu à peu, on se sent revivre. Capables de respirer sereinement.

Schindler a son arbre, qu'il est venu planter lui-même. Il y a aussi un arbre dédié au Danemark où cinquante Juifs furent tués. Le roi de l'époque portait l'étoile jaune en signe de protestation. Évidemment, cela force le respect quand on sait que le pape Pie XII n'a jamais condamné ces horreurs.

En sortant, alors que j'attends le bus, des touristes américains font connaissance. Le besoin de partager les impressions fait tomber les barrières. J'assiste silencieuse à leurs échanges. Ils sont tous des enfants ou des petits-enfants de survivants. L'une est d'origine polonaise, l'autre tchèque et la troisième est Slovaque. L'une d'entre elles distribue les points.

« Ah ça, les Allemands, eux, s'en sont bien sortis, trop facile. Et vos parents ils ont fait comment ?

– Pour survivre ?

– Non, pour vivre. Après.

– Ils ont réalisé que la meilleure vengeance était le bonheur. De replanter la graine, avoir des enfants. C'était une vraie victoire.

– Quel genre de parents étaient-ils ?

– Ah ça, ils étaient très, très protecteurs, mais toujours avec plein d'amour.

Un jeune homme se mêle à la conversation.

– Pourquoi les Russes étaient-ils contre Hitler ?

– Parce qu'ils avaient signé un pacte de non-agression. Ils ont été trahis.

– Ah, je comprends. »

La distributrice de bons points revient à la charge. « Ah, ça va, les Russes, ils ont violé leur quota d'Allemandes au moins. Même si eux, ce n'était pas des saints. Les communistes, merci ! »

Je regarde cette femme, une quinquagénaire de Floride. Pourquoi tant de haine, alors que Yad Vashem invite justement à une réflexion plus sereine ? À ce moment-là, le bus gratuit arrive. Un mouvement de foule immédiat se crée, personne ne veut le rater. Finies les discussions, les civilités. On joue des coudes, on pousse, on râle, et même, on insulte. Je reste extérieure à tout cela. Je pense à mon père qui dit souvent : « Oui, l'homme est intéressant, mais la foule est stupide ! »

# 29

ALLER au Saint-Sépulcre d'un pas décidé. Trouver son chemin directement (merci les colocs !). Puis pénétrer dans la sacristie des Dominicains. Objectif : inscrire son nom sur la petite liste. Celle des *happy fews* qui, ce soir, pourront rester dans l'église, après la fermeture des portes.

Voir des milliers de visiteurs disparaître pour n'être plus que quelques-uns.

Le père qui me reçoit est anglophone. « *And you wonder if it is really true that you can spend the night in the Holy Sepulcre*[1] *?* »

Incroyable ! Il parle comme une chaîne de télé-achat américaine.

« *Euh, yes, that is what I want*[2]*.*

– *OK, no problem, you are on the list*[3]*.* »

Au moment de partir, je remarque une petite vitrine avec une épée.

« *And that is*[4] *?*

– *Read the sign next to it*[5]*.* »

Godefroy de Bouillon. Tu m'étonnes qu'il n'ait pas trop envie de s'aventurer à prononcer le nom du propriétaire.

---

1. « Et vous vous demandez si c'est vraiment vrai que vous pouvez passer votre nuit au Saint-Sépulcre ? »
2. « Euh, oui, c'est ce que je souhaite. »
3. « OK, pas de problèmes, vous êtes sur la liste. »
4. « Et ça, c'est quoi ? »
5. « Lisez la pancarte à côté. »

De ce bon Bouillon, Wikipédia nous dit : « Premier souverain du royaume de Jérusalem au terme de la première croisade, il refuse le titre de roi pour celui, plus humble, d'avoué du Saint-Sépulcre. »

À bien y regarder, elle a l'air rudement neuve cette épée, surtout si on part du principe que Godefroy est mort en 1100 à Jérusalem. Je vais peut-être mener l'enquête cette nuit ?

Plus sérieusement, je ne sais pas du tout à quoi m'attendre.

Quelle atmosphère ? Vais-je être intimidée ? Ennuyée ? Vais-je retrouver les joies de la prière comme quand j'étais ado ?

En ressortant, je regarde ces centaines de touristes et je me sens un peu comme la reine du monde à l'idée que ce soir ils ne seront plus là… *Arrivederci !*

Étape numéro deux ce matin : me rendre au Mur des lamentations. Je veux y déposer ma requête pour mon amie Claude. Sans superstition, je suis convaincue qu'une prière, un message déposé au Mur, est un potentialisateur de pensées positives. Je suis convaincue que, de là où je suis, je lui envoie de la force, du courage, et la capacité de guérir plus vite.

Sauf qu'une fois sur place, je mesure l'ampleur de la tâche. Je n'ai jamais vu autant de monde au Kotel. Peut-être est-ce l'heure ? L'arrivée de quelques cars de touristes-pèlerins ?

Je patiente, je m'imprègne des lieux. Finalement, malgré la foule, je ressens une grande sérénité. C'est probablement l'importance de ma mission. Quand j'atteins le Mur, j'ai envie de rester, de faire perdurer le contact de ma main sur cette pierre douce, et de concentrer toutes mes pensées dans la bonne direction.

À ma gauche, une très vieille dame bossue, incroyablement frêle. On se demande comment elle tient sur ces jambes. Sa prière semble si profonde.

À sa droite, une jeune fille pleure doucement, la tête appuyée contre le Mur. Son bras cache son visage et étouffe délicatement le bruit de ses sanglots.

Peut-être qu'elle attend cet instant depuis bien long-temps. Peut être qu'elle vit l'expérience spirituelle la plus profonde de sa vie. Je ne sais rien de son visage, je ne connais rien d'elle et pourtant, étrangement, à cet instant, je me sens proche d'elle.

Croyant ou non, la présence près du Mur est une expérience extraordinaire. Peut-être est-ce dû à tous ces sanglots, ces espoirs, ces prières qui, chaque jour, l'accompagnent. Ne dit-on pas que les murs gardent la mémoire des événements ? Celui-ci a vu le monde entier à ses pieds. Inévitablement, cela force le respect.

Enfin, c'est ce que je croyais, jusqu'à l'arrivée d'une sorte de grande bringue hystérique. Elle bouscule tout le monde, passe son bras par-dessus la mamie et tente maladroitement de glisser un papier dans une fissure pendant que sa copine la prend en photo.

Plus d'un mètre quatre-vingts, elle est, en plus, perchée sur des compensées. Incontournable. Des cheveux peroxydés, un maquillage outrancier au point que je me demande quelques secondes si ce n'est pas un homme. Une robe blanche ultra-moulante et des dorures partout, partout, partout.

Elle ne voit pas la mamie, si frêle et si fragile, elle ne voit que l'objectif de l'appareil photo pour lequel elle fait des mimiques dignes d'une plage de Saint-Trop'. Un peu comme dans les pages de *Voici* qui relatent les soirées trop arrosées.

Dans sa main gauche, elle n'a pas moins d'une dizaine de papiers couverts d'écritures qui ont pour vocation d'être pliés et déposés. Elle s'y emploie méthodiquement entre deux photos, et elle ne voit toujours pas mamie. J'ai peur qu'elle la fasse tomber. Mais non, elle se contentera de pousser la jeune fille qui pleure pour trouver un endroit où glisser l'un de ses papiers.

Sur ce, une jeune fille la rejoint. Probablement sa fille. Même maquillage outrancier. Mêmes dorures au cou, aux oreilles, aux doigts, aux poignets. Même style de robe démesurément sexy.

Et voici une nouvelle liasse de paperasse et un nouveau *shooting*. Mais elles se croient où ? Au guichet du Père Noël ou à la roche aux Fées ? Je tends l'oreille... Ces dames sont texanes. Peut-être ne font-elles pas la différence entre Orlando et le Kotel ?

J'ai envie de hurler, d'intervenir. Mais ce n'est pas ma place, ni mon pays ni mon droit. Mon seul droit est de partir sur la pointe des pieds vers de nouvelles aventures.

Et c'est ainsi que je sors de la vieille ville pour aller à l'hôpital Saint-Louis. Un hôpital français, à deux pas de la porte Neuve. Il paraît qu'ici on y soigne aussi bien les Palestiniens que les Israéliens, et qu'au seuil de la fin de vie, les barrières tombent et les hommes se rencontrent. Je voudrais en savoir plus et j'ai donc décidé de rencontrer sœur Monica, la directrice. Je fais confiance à ma chance et je me pointe sans rendez-vous.

À l'arrivée, je suis fort gentiment accueillie par une polyglotte hors norme et souriante. Elle doit avoir l'âge de la retraite, mais elle semble être l'âme des lieux. « Je finis ma cigarette et j'appelle sœur Monica dans deux minutes, là, elle est en réunion. »

Une jeune fille noire passe en boitant. Ses jambes sont maigrissimes mais elle est belle à tomber. « Vous voyez cette fille ? me demande la polyglotte. On lui a tiré dessus à la frontière égyptienne. Elle vient d'Érythrée. Quand elle est arrivée ici, elle ne pouvait plus marcher, elle était dans un état effroyable. Il y a encore deux semaines, elle marchait avec des cannes. Aujourd'hui, la République tchèque vient de lui donner des papiers et elle va partir là-bas. C'est grâce à l'ONU. Elle n'a pas 20 ans et elle va enfin vivre. »

Je tourne la tête et je la vois doucement s'éloigner à contre-jour dans le couloir. Une démarche mal assurée, et pourtant décidée. Bouleversant.

En deux minutes, ma polyglotte est passée du français à l'espagnol pour finalement « switcher » sur l'allemand avec une tierce personne. Sœur Monica nous rejoint. Elle est évidemment débordée. « Mais, d'accord, je me débrouillerai pour prendre une demi-heure demain. Venez à 17 heures. »

Je me sens bien dans ce vieil hôpital. J'ai l'impression que chaque porte poussée va me raconter une histoire de vie incroyable. Que je vais grandir à la vitesse de la lumière.

« Oui, bien sûr, demain, 17 heures ! »

En attendant, la fin d'après-midi est toujours ici un moment béni des dieux. Une brise légère, des lumières sublimes, c'est le moment idéal pour reprendre un vrai travail d'étude : la recherche de la meilleure piscine de Jérusalem.

C'est ma copine Marie-Armelle qui a eu vent de cette nouvelle piscine sur le toit de l'hôtel Saint-George, dotée d'une vue étonnante sur le Saint-Sépulcre. Et de fait le panorama est spectaculaire. À votre gauche, le mont des Oliviers, l'église Sainte-Marie-Madeleine et ses dômes d'or qui scintillent au soleil, au centre le Saint-Sépulcre, emmitouflé dans la vieille ville, puis Jérusalem est.

Admirer cette carte postale, le corps immergé dans une piscine turquoise, il y a comme un hiatus, une sensation d'ultra-privilégié et en même temps pas très cohérente. Si Jérusalem était une station balnéaire, cela se saurait. Et ce serait bien dommage. Cela drainerait toute une population de touristes arrivés là par hasard.

# 30

J E NE CONSIDÉRERAI plus jamais le ramadan de la même manière. Une fois que la détonation de fin de jeûne a retenti, les rues se parent de couleurs et la vie éclate de partout.

Les guirlandes illuminées émerveillent notre âme d'enfant, les stands de grillades et de fallafels réveillent nos sens. Les femmes aux yeux soulignés de khôl ont des regards puissants et les enfants rient. La musique résonne sur les pavés de la vieille ville.

On aimerait s'inviter dans les familles et prendre une part active à la fête.

Et puis, soudain, quelques mètres plus loin, dans le quartier chrétien, la vie, là, s'est arrêtée. Les échoppes sont fermées, les rues sont entièrement vides et silencieuses. La lumière des lampadaires se reflète dans les pavés comme autant de petits lingots d'or.

Soudain, trois enfants déboulent en riant, en criant et en pédalant à toute allure. Quel magnifique terrain de jeux que ces ruelles enfin désertes. Ils sont suivis par quatre garçons qui courent de toutes leurs forces. L'un d'eux porte un petit de 2 ans à peine. Qui n'a pas glissé sur les pierres de la vieille ville ne peut comprendre l'effroi que suscite une telle vision.

Et puis, le Saint-Sépulcre. C'est l'heure où la foule s'en va. Doucement. On ne quitte jamais le lieu le plus saint de la chrétienté à la légère. Deux ou trois prêtres orthodoxes semblent monter la garde, près de la porte. Ils ont une classe folle. Cela donne envie de les filmer, de connaître toutes leurs histoires. Mais ils ne parlent pas anglais et n'aiment pas communiquer. Encore moins à l'heure du rituel de fermeture de la basilique.

Je suis à l'intérieur. Et à cet instant, j'ai l'impression que le monde se divise en deux.

Ceux qui vont assister à la fermeture, de l'extérieur (une soixantaine peut-être) et ceux qui vont être enfermés, à l'intérieur. Nous sommes tout au plus une quinzaine. Je suis la seule Française. Les autres sont Italiens. Même s'ils sont tout sourire, on les sent un brin nerveux.

Un prêtre orthodoxe finit par fermer la grande porte. Le bruit saisit tout le monde et impose un silence qui semble résonner à l'infini. Il ouvre une petite trappe dans la partie gauche et il récupère, pour la glisser à l'intérieur, l'échelle qui a servi à la fermeture. Chaque geste est lourd de sens et de symbolique. Rien n'est fait au hasard et encore moins à la légère.

Ça y est, les clés ont fait leur dernier tour. Nous sommes coupés du monde.

Il est 21 heures précises, nous ne pourrons sortir qu'à minuit trente, quand quelqu'un de l'extérieur viendra ouvrir de nouveau. Un petit frisson parcourt l'assemblée. On se sourit, comme des compagnons d'arme embarqués sur le même bateau. Un prêtre anglophone (un autre) vient nous faire une rapide introduction.

« *OK, so, here are the rules :*
– *No singing.*
– *No candle.*
– *No sleeping.*
*Make sure everyone understood.* »
Et il s'en va. Un vrai militaire.

OK, donc, pas de chant. C'est *fairplay*, on est là pour la quiétude, le voyage intérieur.

Pas de bougies. Dieu merci. Vu comme on vient d'être enfermés, faudrait mieux pas qu'il y ait le feu. D'ailleurs, il est préférable de ne pas laisser cette idée faire son chemin. Parce que là, s'il y avait un incendie, on serait rôti comme des poulets à l'encens avant l'émergence du premier secours.

Troisième règle, ne pas dormir. On imagine bien que le Saint-Sépulcre n'a pas pour ambition de se transformer en auberge de jeunesse gratuite.

Les Italiens filent directement vers le tombeau du Christ. Sauf une femme quinquagénaire souriante qui vient vers moi. Elle me parle, je ne comprends pas les mots, mais sa main sur mon ventre, et l'autre sur mon épaule, me donnent une idée du contenu. Elle s'émerveille de ma grossesse. De là à ce qu'elle y voie un symbole divin, il n'y a qu'un pas, que je ne me sens pas tout à fait prête à franchir. Elle continue à parler et m'amène au prêtre de leur groupe pour qu'il bénisse mon petit être en devenir.

Une bénédiction au Saint-Sépulcre, cela doit valoir mille fois plus, que dis-je, dix mille fois plus que celle d'un curé à Lagny. Notre fils est donc en de bonnes mains pour l'avenir. Et s'il décide de devenir curé, au moins, on saura d'où ça vient !

Je commence à faire le tour de la basilique. Lentement. Émerveillée. Je peux enfin la voir. Vraiment. Pendant ce temps-là, de nombreuses petites mains, habituellement invisibles, s'activent. Enlever les cierges épuisés, nettoyer les traces de cire au chalumeau, balayer, frotter. Les frottements résonnent. Une odeur d'huile de rose flotte. Nous sommes seuls au monde.

J'ai toujours eu l'impression que le Saint-Sépulcre était immense. Un peu comme Paris la première fois qu'on y met les pieds. Et là, doucement, simplement, j'explore. Je prends conscience de sa dimension humaine. Je touche les marbres, les vieilles pierres. J'essaie d'entendre ce qu'elles ont à me raconter.

Je descends dans la chapelle Sainte-Hélène (mère de l'empereur Constantin, à qui on doit la naissance de la basilique). Le calme y est absolu. Des centaines, des milliers de croix sont sculptées dans le mur. Comme poinçonnées.

Chacune est la signature d'un croisé ou d'un pèlerin arrivé à Jérusalem. Je les touche une à une, et je pourrais y passer toute la nuit. Elles ont, pour certaines, plus de mille ans. Le voyage devait être insensé.

Je m'installe sur un banc en marbre et j'écoute le silence. Enfin, j'essaie, car une horde d'enfants rit, dehors. Et c'est la vie qui prend le dessus. Je passe une heure, en symbiose totale avec les lieux.

Puis, je reprends ma déambulation, que j'aimerais sans fin. Scruter chaque détail, chaque recoin. Un nombre incalculable de portes est fermé. Où vont-elles ? Que cachent-elles ?

L'espace orthodoxe est également fermé. Pas question d'accéder au nombril du monde. Par contre, je me glisse dans le tombeau du Christ. Il y a deux femmes en prière profonde.

C'est donc ici. Ici que chaque chrétien rêve d'être un jour. Ici qu'il se sent le plus près de Dieu. Dans ce minuscule espace, on ne compte pas moins de quatre représentations de la résurrection du Christ. Comme pour rendre l'inimaginable compréhensible. Des dizaines de petites bougies ornent les lieux (mon Dieu, si cela mettait le feu !). Il y a une plaque de marbre que les pèlerins touchent avec ferveur. Comme si elle avait été elle-même touchée par le Christ.

Un vieux monsieur entre. Une jeune femme est obligée de lui laisser la place. Il sort un sac en papier et verse sur le marbre toutes ses emplettes. Des chapelets, des médailles, des crucifix. Il les dispose de manière à ce qu'ils soient tous en contact avec ladite plaque. Il prie quelques minutes, puis remballe toute sa quincaillerie. Pense-t-il avoir rajouté une dose de sainteté ? De magie ?

Chacun semble vouloir capturer l'instant, à sa manière. À quelques pas, un jeune homme écrit dans son carnet, à vive allure, on dirait presque de l'écriture automatique. La quinqua fascinée par mon ventre se plonge dans les évangiles. Régulièrement, elle m'adresse des signes de tête et des sourires chaleureux.

Un type, affublé d'un tee-shirt « Jérusalem » bariolé, mitraille la basilique. Une sexagénaire passe près d'une demi-heure à genoux devant la pierre de l'onction, là où les femmes auraient lavé le corps du Christ. Elle caresse la plaque avec des mouchoirs en papier, qu'elle replie ensuite consciencieusement pour les glisser dans son sac. Un, puis deux, puis cinq, puis dix. Va-t-elle les offrir en rentrant, comme autant de protections contre le mauvais œil ?

Je reprends ma déambulation. Je croise la quinqua qui revient vers moi. De nouveau, sa main sur mon épaule, et l'autre sur mon ventre. Elle me parle avec bienveillance et tendresse. Cela ne me dérange pas. Je sais qu'une femme enceinte appartient quelque part à toutes les mamans du monde. En me touchant, c'est un peu ses enfants qu'elle retrouve.

Je me redirige, de nouveau, vers la chapelle Sainte-Hélène. Mon antre secret. J'entends un bruit étrange, comme une respiration… accompagnée d'un ronflement.

Je descends sur la pointe des pieds, un demi-sourire aux lèvres. Je découvre notre prêtre à la rigueur militaire en train de dormir, sur un banc en marbre. Celui qui a donné les ordres est le premier à les enfreindre. « La chair est triste, hélas, et j'ai lu tous les livres », disait Mallarmé.

Je m'installe finalement dans un recoin sombre et sans grand intérêt particulier, pour me concentrer sur mon silence intérieur.

Quelques minutes à peine, et le voilà pulvérisé par des éclats de voix. Une voix qui a clairement du coffre.

Je ne comprends pas la langue mais j'entends la colère. Cela ne peut pas être mon curé militaire, il dort toujours. Quelqu'un l'aurait réveillé ? Cela vient du tombeau du Christ. Quand j'arrive, un père grec orthodoxe vocifère et mon groupe d'Italiens est terrifié. Le prêtre finit par hurler : « *All of you, over there* », et les voilà parqués dans la pénombre à distance du tombeau.

Je suis en plein milieu et il me jette un regard aussi inquisiteur que menaçant. Je souris. Que faire d'autre ? Surtout qu'il a, malgré sa voix de stentor, une bonne tête. (Au fait, Stentor, vous connaissez ? Un guerrier grec qui avait la voix de cinquante hommes, bon, ben, c'est bon, on le tient, il est là !)

La quinqua me sourit, me prend par la main et m'emmène une fois de plus à son curé. Visiblement elle lui demande de m'expliquer. Dans un français mâtiné d'anglais, brassé d'un fort accent italien, je comprends que le prêtre a piqué une colère car certaines bougies du tombeau se sont éteintes. Et ce serait une fois de plus la faute des cathos. Nos Italiens sont tous penauds, comme des enfants qui auraient fait une bêtise involontaire alors qu'apparemment, ils n'y sont pour rien.

Quelques instants plus tard, il est minuit et demi, les visiteurs sont de nouveau acceptés. Un groupe de trois arrive et se dirige immédiatement vers le tombeau. Stentor arrive d'un pas décidé.

« *Are you orthodox*[1] ?

– ...

– *Are you orthodox ?* (Version un poil plus agacé.)

– ...

– *Sign yourself*[2]. »

---

1. « Êtes-vous orthodoxe ? »
2. « Faites le signe de croix. »

Le type fait le signe de croix. Mais il le fait comme nous, et non pas à l'envers, comme les orthodoxes !

« *Out, out, come back another day. Tomorrow. Now it is for orthodox*[1]... »

Puis Stentor marmonne dans sa langue. Une fois de plus, je suis dans son champ de vision. Il me jette un regard noir. Mon sourire fond comme neige au soleil. Je crois que je vais rentrer. Je n'ai même plus envie de déambuler.

Je quitte le Saint-Sépulcre. La quinquagénaire italienne me fait un signe d'adieu et de prière.

Je traverse les rues silencieuses du quartier chrétien et espère encore croiser un peu de vie dans le souk.

Il est minuit quarante et, même si certains commencent à ranger, c'est encore très festif. Les étals de bonbons colorés sont pris d'assaut. De jeunes garçons circulent avec des plateaux remplis de citronnades à la menthe. Les lumières scintillent. Des sourires, des rires, des discussions enflammées. Pas de doute, le ramadan, c'est vraiment la vie.

---

1. « Dehors, dehors, revenez un autre jour. Demain. Maintenant, c'est pour les orthodoxes. »

## 31

À PEINE mets-je le nez dehors que j'entends les hélices d'hélicoptère. Je lève les yeux, le dirigeable est là. Ah, mais oui, bien sûr, c'est vendredi, jour de prière en période de ramadan. La foule me paraît encore plus intense que les autres vendredis.

J'apprendrai plus tard que deux cent mille musulmans ont eu l'autorisation de se rendre à l'esplanade des Mosquées. À l'extérieur des remparts, pas mal de gens s'installent pour une petite pause à l'ombre. Il fait une chaleur ahurissante. Moi qui croyais m'être habituée, là, j'étouffe.

Aujourd'hui, j'ai rendez-vous avec sœur Monica de l'hôpital Saint-Louis. Heureusement, le bâtiment est ancien, les murs épais, la fraîcheur omniprésente. La polyglotte qui m'avait tant plu hier n'est pas à l'accueil.

Je suis accueillie par une Palestinienne beaucoup plus timide. Sœur Monica arrive. Dynamique et souriante, comme elle l'est probablement tous les jours. Sœur Monica est Allemande, elle a la cinquantaine. Le cheveu gris, coupé court, la poignée de main ferme et le ton direct. Du genre à imposer le respect et l'admiration. Visiblement, pas étonnée pour deux sous que l'on s'intéresse à son hôpital, elle en parle volontiers.

Me voilà donc dans un établissement de cinquante lits. Créé au courant du XIXᵉ siècle, il est aujourd'hui spécialisé dans trois domaines. Les soins palliatifs, ce qu'elle aime appeler « l'étape dernière de la vie », les malades chroniques graves, comme des gens dans le coma et l'oncologie. Il y a aussi une partie maison de retraite. Les patients ne sont pas sélectionnés en fonction de leurs origines, mais bien de leur état.

« Typiquement, nous privilégions un malade du cancer qui est soigné dans sa famille et qui commence à rencontrer des difficultés. Par exemple, ce matin, nous avons été contactés pour un cas de ce type à 10 heures. À midi, il était dans son lit, ici. Nous verrons les questions administratives dimanche, quand ce sera plus calme. Le plus important, le plus urgent pour nous, c'est le bien être des malades. »

Et c'est vrai qu'ici, on se sent dans une atmosphère humaine, un lieu atypique, pas du tout la sensation d'un hôpital classique avec ses odeurs oppressantes et son atmosphère impersonnelle.

« Vous savez pourquoi ? », m'interroge-t-elle, l'œil pétillant. « Parce que les vingt-cinq volontaires et les religieuses, nous vivons tous ici. Et cela change tout. On me voit, par exemple, au fond du jardin, étendre mon linge. Ce n'est pas seulement notre travail, c'est notre vie. »

L'hôpital Saint-Louis est le seul couvent au monde à avoir son propre rabbin et à servir de la nourriture casher. Ici, on fête toutes les fêtes, qu'elles soient chrétiennes, juives ou musulmanes. « Et c'est une chance, car lorsqu'on est en soins palliatifs, on ne sait pas si on sera encore là lors de la prochaine fête qui nous concerne. Je pense à ce couple, lui, ne pouvait plus marcher, et lors d'une fête, il a retrouvé ses jambes, le temps d'une danse. C'était tellement beau pour sa femme. Eh bien, il est mort deux jours après. Cette danse, elle ne l'oubliera jamais, alors peu importe si c'était une fête musulmane ou juive. L'important, c'est de célébrer ensemble. »

Ici, il y a vingt-cinq employés et donc vingt-cinq volontaires. Soit, une personne par malade. Parmi les volontaires, un grand nombre d'Allemands qui font leur service civil. Pas mal de Français, mais aussi des Ukrainiens, des Américains, des Hollandais, et bien d'autres. Forcément, le côté allemand m'interpelle. Viennent-ils pour réparer à leur manière les horreurs du passé ?

« Il y a plusieurs cas de figure. Il y a en effet, ceux qui sont là pour faire quelque chose pour le peuple d'Israël. Il y a ceux qui viennent car ils envisagent de devenir médecin ou infirmier. Il y a ceux qui sont intéressés par l'aspect politique. Et enfin, il y a ceux qui veulent se reconnecter à des racines juives. »

Au cœur de l'hôpital Saint-Louis, il y a des Juifs israéliens, des Palestiniens, des chrétiens, mais aussi des réfugiés. Le principe instauré par sœur Monica c'est qu'ici, pas de place pour la politique. La politique, selon elle, « c'est dans le cœur ou dehors ».

Et de fait, quand je l'interroge sur les relations entre les malades, elle rit. « Ici, on n'a pas de problèmes relationnels entre Palestiniens et Juifs, on a des problèmes de fenêtre ouverte ou fermée. C'est le plus important dans une vie quotidienne à l'hôpital. »

Dans le document de présentation de l'hôpital, on peut lire : « Les patients, qu'ils soient juifs, chrétiens ou musulmans, partagent souvent la même chambre. Les familles, qui sans cela, ne se rencontreraient jamais, se parlent, partagent et apprennent à se connaître. Au chevet d'un être cher qui souffre ou qui va mourir, les cœurs se rapprochent, les mains se tendent et les frontières sociales, politiques ou religieuses n'existent plus. »

Selon elle, ce n'est pas seulement rattaché à l'hôpital Saint-Louis, c'est le principe des hôpitaux qui permettent à tout le monde de se rencontrer. « Il y a une jolie histoire, qui s'est passée à l'hôpital Hadassah. Une famille arabe et une famille juive s'occupent de leur maman respective, dans la même chambre. La maman juive est seule quand elle vomit. Alors, la fille de l'autre famille l'aide à se nettoyer. Quand la fille de la maman juive revient, elle la remercie.

« Ce n'est rien, vous auriez fait pareil.

L'autre lui répond :

– J'ai honte de le dire, mais non. Par contre, maintenant je le ferai. »

Voilà ce qui résume toute la démarche de sœur Monica. C'est le rapport direct à l'autre qui fait évoluer les choses. « On s'en fout de qui vient d'où, c'est une femme en peine, avec son vomi, et c'est bien là l'essentiel », ajoute-t-elle en riant. « Quand on privilégie l'humain, tout devient possible. »

Elle file me chercher un article pour le moins surprenant. À une époque, entre 1948 et 1967, la vieille ville faisait partie de la Jordanie, l'hôpital était alors le dernier bâtiment d'Israël. Après, c'était le *no man's land*. Un jour, (et c'est véridique) une malade tousse et son dentier voltige par la fenêtre et se retrouve précisément dans cet espace-là.

Alors on se concerte, on réfléchit, parce que la malade a bien sûr besoin de ses dents. Une des sœurs appelle les affaires étrangères. On décide que trois soldats seront nécessaires : un Français, un Jordanien et un Israélien. On rajoute un drapeau blanc et c'est sœur Olga qui est mandatée pour mener l'expédition. Ils finissent par retrouver le dentier, et la photo de sœur Olga le présentant fièrement à l'objectif vaut son pesant de (beurre de) cacahuètes.

Évidemment, je finis par en revenir à cette histoire de relation entre les bénévoles allemands et les patients israéliens. « Les choses sont de plus en plus simples car les jeunes qui viennent n'ont aucune responsabilité dans les événements de l'époque, ni même leurs parents, et parfois, même pas leurs grands-parents. Bien souvent, les patients sont heureux de parler allemand de nouveau. Et puis, le temps a passé et certains font la démarche d'évoquer le passé. Ces jeunes deviennent alors des interlocuteurs privilégiés. »

Je l'interroge alors sur son expérience d'Allemande sur cette terre. « Eh bien, finalement, je crois que j'ai plus souffert d'être allemande dans le nord de la France qu'à Jérusalem. Tout simplement parce que Israël et l'Allemagne ont beaucoup réfléchi à leurs relations. Alors que la France et l'Allemagne sont censées être amis, et ce n'est pas aussi simple. »

En fait, sœur Monica a trouvé la parade pour communiquer avec ceux qui n'aiment pas les Allemands. « Je les laisse sortir toute leur agressivité, au départ. Je l'accueille. J'entends leur souffrance car je sais que ce n'est pas contre moi précisément. Le conflit qu'ils évoquent n'est pas mon histoire à moi. Une fois qu'on a tout fait sortir, le chemin est ouvert. C'est comme les malades. Ils sont en colère contre la maladie, la souffrance, et leur agressivité n'est pas destinée au soignant. Donc, je laisse vider le sac, et après, on peut communiquer. »

Voilà, c'est cela sœur Monica. Une femme d'une intelligence lumineuse, d'une simplicité déroutante et d'un bon sens exceptionnel. Elle adore ce qu'elle fait, et le fait avec confiance. Les financements ne sont pas simples et elle ne sait pas toujours si elle va pouvoir boucler le mois. Subventionné par le ministère de la Santé israélien et pas mal d'associations, il y a parfois des dépenses nouvelles et inattendues.

« Chaque fois que je dis oui pour un nouveau médicament ou pour une installation importante, j'ai toujours, je dis bien toujours, un chèque inattendu qui arrive par la poste, quelques jours plus tard. Jésus ne m'a jamais laissé tomber », avoue-t-elle dans un éclat de rire.

Alors, forcément, j'ai hâte de voir les lieux, l'atmosphère des services. On monte à l'étage, et dans le couloir, un trio de musiciens ultra-orthodoxes joue. Clarinette, flûte traversière et guitare. Ambiance presque festive à l'heure du dîner.

Quelques mètres plus loin, un jeune Français nourrit une très vieille dame. Il a l'air heureux et dans son élément. Il s'appelle Tanguy, il est étudiant et souhaite devenir ingénieur. Il est venu pour six mois. « Il y a huit ans, j'étais en vacances à Jérusalem, avec mes parents, ils m'avaient parlé de cet hôpital. Et depuis, j'attendais de pouvoir le faire. » À voir son sourire, ses yeux brillants, pas de doute, Tanguy ne regrette pas un instant.

Je discute avec un patient anglais. Alexander est traducteur de livre et il doit avoir dans les 70 ans. Même en pyjama, il garde cette distinction toute britannique que j'affectionne tant. Je lui parle de mon projet d'écrire sur Jérusalem. Il me donne des tuyaux sur les endroits où trouver les meilleurs livres sur la ville. Et termine avec plein d'encouragements. « Vous savez ce que nous disons en Angleterre ? *Good luck and fair wind*[1] ! »

Je continue ma visite, et j'arrive vers les comas longue durée.

Soudain, ma curiosité et mon entrain en prennent un coup. Je ne me promène plus dans un sujet guilleret où tout le monde vit en bonne harmonie. Je me prends une claque de réalité que je ne sais pas accueillir. Je me retourne vers sœur Monica qui me demande si je veux les rencontrer. « Euh, non, pardon, je crois que je n'en suis pas capable. » Je me sens stupide, nulle, faible, futile. Compréhensive, elle me répond : « Vous savez, moi, ce à quoi je ne m'habitue pas ? La mort. Les tuyaux, les

---

1. « Bonne chance et bon vent ! »

crachats, le sang, les plaies, pas de problème. Mais la mort, ça non, je ne l'accepte toujours pas. »

Une religieuse qui n'accepte pas la mort. C'est comme une personne âgée qui continue à en avoir peur. Cela me questionne. Profondément. On en revient alors à cette quête qui anime tant de gens dans cette ville… Le sens de la vie.

# 32

EH BIEN, je crois que c'est clair. Il y a au moins un point sur lequel j'ai bien avancé pendant ce voyage. Je ne pourrai pas être juive. Je suis beaucoup trop fainéante pour cela. « *I don't have what it takes*[1] », comme disent les Anglais. Il faut de la constance, de l'énergie, de la patience. Remarque, je ne suis pas sûre que la communauté juive se serait vraiment battue pour me compter parmi eux.

Rien que le concept de sabbat demande une tout autre organisation. Pas de voiture, pas de taxi, pas de bus. Et donc marcher, et encore marcher.

Le sabbat est aussi une gymnastique de l'esprit incroyable. Pendant vingt-cinq heures, hors de question de travailler, de cuisiner, de toucher quoique ce soit avec de l'électricité, de se servir de ses nombreux écrans. Il faut donc anticiper tout ce qu'il aurait fallu faire. Comme les trois repas. « Si tu as trois enfants, c'est donc quinze repas qui doivent être préparés en amont », m'explique Alexandra.

Le vendredi matin, il faut se rendre à Ma'hané Yéhouda, LE marché de Jérusalem, pour bien saisir ce que cela représente. C'est une ruche incroyable. Tout le monde s'active. Faire les courses au plus vite, pour finir de cuisiner à temps. On sent comme une tension qui monte, qui monte. Tout est une course contre le temps. Surtout qu'on ne va pas se contenter de manger un casse-croûte, le soir. Le repas se doit d'être abondant et festif.

---

1. « Je n'ai pas ce qu'il faut. »

Dans l'après-midi, vers 16 heures, la foule a pratiquement disparu. En quelques minutes, l'une des artères les plus actives de la ville, Jaffa Street, est déserte. Comme une rue, un dimanche après-midi, dans un village français. Je rêvais de faire sabbat mais n'avais pas encore trouvé la bonne piste. Jusqu'à ce que ma nouvelle copine Alexandra prenne les choses en main. Je ne pouvais pas trouver meilleure professeure.

Le rendez-vous est donné à un arrêt de bus, à deux pas de la synagogue où elle souhaite aller. Tout trafic (en tout cas pour ceux qui respectent sabbat) a été suspendu. Il est 19 heures. Je m'installe sagement.

Sur le dernier mail, elle a précisé « Prévois des vêtements très fermés, genre ultra-ortho. » Je vérifie une dernière fois ma tenue. Robe noire. Tee-shirt à manches longues, noir (acheté pour l'occasion). Foulard noir enturbanné sur la tête. Normalement, je ne suis pas obligée, je pense, de me couvrir la tête comme les femmes mariées juives pratiquantes. Mais avec mon bedon bien présent, je me dis que la tête nue pourrait donner une drôle d'impression. Étrangement, je me sens assez à l'aise.

« Euh, *there is no bus*[1] », me dit un jeune homme, visiblement inquiet de me voir patienter pour les vingt-cinq heures à venir. « *Yes, I know*[2]. » Deux minutes plus tard, re-belote. En résumé, si vous voulez afficher votre statut de touriste, asseyez-vous à un arrêt de bus à sabbat, c'est très efficace.

Quelques minutes plus tard, un jeune homme s'approche de moi. Je m'apprête à lui dire que, je sais, il n'y a pas de bus, quand je l'entends me demander : « *Are you Katia*[3] ? » Ah ben, ça alors, si je m'attendais à cela ! Je suis tellement surprise que je le fais répéter.

---

1. « Il n'y a pas de bus. »
2. « Oui, je sais. »
3. « Êtes-vous Katia ? »

« Je suis l'amie d'Alexandra, j'ai rendez-vous avec elle »,
m'explique-t-il dans un anglais agréablement *british*.

Voici Oliver, trentenaire, étudiant pour devenir rabbin.
Il a la beauté rayonnante de ceux qui sont en accord
avec eux-mêmes. Il est habillé, tout de blanc, porte un
couvre-chef en crochet, et son visage parsemé de taches
de rousseur a pris le soleil.

Son sourire est franc et engageant. Quand je le préviens
que je risque de lui poser plein de questions stupides car
je suis inculte en religion juive, il rit et répond :

« Premièrement, il n'y a pas de questions stupides.
Deuxièmement, la religion juive est une religion de questions stupides. Troisièmement, je t'écoute. »

Olivier vit à Jérusalem depuis cinq ans. Il a étudié deux
ans avec Alexandra, quand elle travaillait à sa conversion.
Il se consacre maintenant à l'étude de la philosophie juive.
Il est londonien d'origine et pense bien y retourner pour
exercer, quand il sera rabbin. Il parle hébreu et français.
Il sait même manier l'accent québécois.

Il est bien sûr religieux, mais il fait partie de ces mouvements progressistes résolument à gauche pour qui la
Torah doit être un outil utile pour le respect des droits
de l'homme.

Alexandra nous rejoint. Elle est belle dans sa robe
à fleurs assez sobre. Cela dit, avec ses longs cheveux
vénitiens et ses yeux verts, sa silhouette élancée, je crois
qu'Alexandra pourrait être belle dans n'importe quelle
condition.

« Je voulais que tu rencontres Oliver, car c'est une belle
âme, et c'est quelqu'un qui compte beaucoup pour moi. »

Nous voilà donc partis pour la synagogue. Elle a eu la
bonne idée d'apporter son livre de prières bilingue pour
que je puisse suivre. « Voilà le livre sur lequel j'ai appris,
il est bourré d'annotations sur ce qu'il faut faire, quand
se lever etc. Et voilà, ce soir, c'est le tien. »

Oliver part avec les hommes au rez-de-chaussée. Nous rejoignons les femmes, à l'étage. Nous sommes derrière une treille tellement serrée que je suis obligée de fermer un œil pour réussir à voir ce qui se déroule de l'autre côté. « J'ai choisi cette synagogue, qui est assez traditionnelle, car je pensais que ce serait bien que tu commences par là. Ici, les chants d'origine polonaise sont bouleversants. » Autour de moi, les femmes ont toutes des tenues parfaitement modestes. Perruques, têtes couvertes pour les femmes mariées. Tout aussi sobre pour les célibataires. Seules les petites filles se permettent quelques froufrous et dentelles. Alexandra m'explique que la manière de porter les manches est très révélatrice.

« Si elle s'arrête aux trois-quarts, tu es sioniste cool. Si tu as des manches courtes, tu vas à la synagogue deux fois par an, si on voit tes épaules, tu es définitivement laïque, précise Alexandra. Les motifs sont codifiés également. Les petits sont autorisés, les plus gros, non, car ils dessinent trop la forme du corps. Étrangement, l'imprimé léopard est accepté, mais je ne crois pas qu'ils connaissent la réputation qu'il a en France. »

Et là, ce soir, à bien regarder, il n'y a ni laïque ni pratiquante épisodique.

Alexandra me montre le nombre de pages de prières que nous allons couvrir pendant l'office. Impressionnant. « Le livre est pratiquement parcouru dans la journée. Quand on fait toutes les prières quotidiennes, cela prend entre trois heures et quatre heures par jour. »

Et pas question de faire cela en faisant son ménage chez soi. Ainsi, pour sabbat, on va plusieurs fois à la synagogue dans les vingt-cinq heures de la journée. Devant mon air surpris, Alexandra précise : « Mais on ne s'ennuie pas une minute, et je ne pourrais plus vivre sans sabbat maintenant. »

Il n'y a qu'un jour de congés dans la semaine. Et pour cause, Dieu a créé le monde en six jours et le septième jour, il s'est reposé. L'idée est donc de faire la même chose. Travailler six jours, et puis entièrement consacrer la septième journée à notre relation à Dieu. Ainsi, pendant sabbat, on évite tous les sujets de discussion qui pourraient nous éloigner de cet échange, comme ceux liés à l'activité professionnelle.

Il y a tellement d'infos intéressantes, que je sors mon petit carnet pour prendre note. Alexandra pose doucement, mais fermement, ma main sur mon avant-bras. « On n'écrit pas pendant sabbat ! Il y a trente-neuf règles desquelles découlent bien d'autres principes. Et l'écriture fait partie des interdits. » Mon Dieu, que je me sens stupide. Je baisse le regard et marmonne des excuses.

Les prières commencent. Alexandra les connaît toutes par cœur. Il y a celles qu'on dit et celles qu'on chante. À ma droite, une sexagénaire au visage désabusé. À gauche, une jolie jeune fille aux longs cheveux roux et bouclés. Elle vit les prières d'une manière si intense et profonde que je me surprends à l'envier. J'aimerais tout comprendre, et vibrer comme toutes ces femmes.

Une heure trente plus tard, nous retrouvons Oliver. Nous allons passer la suite du sabbat chez Yanniv, un trentenaire français qui vit à Jérusalem depuis quelques années. Il est marionnettiste. Et c'est lui qui eu la gentillesse de se coller à la cuisine gargantuesque. Nous marchons pendant un peu plus d'une demi-heure. Sabbat oblige. Alexandra et Oliver sont affamés, mais c'est le prix à payer pour faire les choses dans les règles de l'art.

Yanniv nous accueille avec chaleur et décontraction. Alexandra me donne gentiment l'autorisation d'enlever mon tee-shirt à manche longue et mon foulard. Je meurs de chaud.

Une fois à table, une nouvelle prière, un chant. C'est assez beau. Voire émouvant. Presque une impression de déjà-vu. Ces trois beaux trentenaires réunis autour d'un repas. La chaleur de l'amitié et la gaîté du sabbat. « Le sabbat doit toujours être gai », me glisse Alexandra. On dirait une scène de ma série, *Srugim*. Mon « *Sex in the Holy city* » que je continue à regarder chaque soir. Incroyable sensation. Je suis spectatrice, mais en même temps, je partage leur pain et leur vin. Car ils ont la gentillesse de m'intégrer à chaque étape, comme si je faisais partie des leurs.

Le repas est évidemment délicieux. Houmous, poulet mariné et grillé, légumes crus, purée d'aubergines. Un régal. Je m'autorise un verre de vin, cela fait partie des prières.

« Tu as vu, c'est festif comme un repas de Noël », s'amuse Alexandra. Ils réussissent le tour de force de m'intégrer totalement. J'ai la possibilité de poser mille questions sans avoir l'impression d'être en dehors. Je comprends aisément comment Alexandra peut être aussi attachée à cette tradition.

Le repas se termine par une nouvelle bénédiction qui se fait dans les rires et la bonne humeur. J'aime cette foi vécue de manière joyeuse. Même si, au quotidien, conjuguer leur croyance et leurs opinions de gauche est une quadrature du cercle qui paraît surréaliste à bien des Juifs. Mais ils sont convaincus que ces principes de vie se rejoignent, et je leur fais entièrement confiance pour en tirer un bel équilibre.

Minuit passé, il est temps que je me rapatrie dans mon chez-moi. Je suis heureuse de ne pas faire totalement sabbat car j'aurais dû faire un bon trois-quarts d'heure de marche. Avec plein de montées et de descentes. Yanniv et Alexandra me proposent de m'accompagner à une artère importante de la ville pour attraper un taxi. Naturellement, il n'y a pratiquement aucune voiture. Comme si les

Champs-Élysées étaient vides de véhicules. « L'avantage, c'est que le chauffeur sera forcément Palestinien, donc il n'aura aucun problème à te raccompagner dans une rue de Jérusalem est », m'explique Yanniv.

C'est donc l'estomac en joie et le cœur réjoui que je termine ma première expérience de sabbat. J'aimerais remettre cela dès la semaine prochaine... Shabbat Shalom !

*Katia Chapoutier écrit :*

Bonjour, je suis en train de terminer un livre qui raconte mes différents séjours à Jérusalem et qui sera publié en mars. À ce titre, je cherche une liste des choses interdites lors du sabbat. Savez-vous où je pourrais trouver cela ? Je ne veux pas piocher au hasard sur le net. Merci.

*Le Blog modern orthodox écrit :*

Il existe 39 interdits « de base », mais concrètement, ces interdits sont à l'origine d'une infinité de sous-interdits en découlant. Voilà la liste des interdits de base sur *Wikipédia* :

Les **trente-neuf catégories d'activités de base** (hébreu : ל"ט אבות מלאכה / *lamed thet avot melakha*) énumérées dans le traité sabbat sont les activités interdites à sabbat, sous peine de profaner la sainteté de ces jours.
Elles définissent aussi la notion de *melakha* (« activité », « tâche », « besogne ») s'appliquant aux fêtes juives prescrites par la Bible.

**Aux sources des 39 catégories**
La Torah, bien que prescrivant l'abstention de toute activité à sabbat à plusieurs reprises, ne donne que trois exemples explicites : le travail des champs (labour et récolte, bien que selon rabbi Ishmaël, cet interdit

s'applique à l'année sabbatique), l'allumage de feu et le transport d'objets de domaine à domaine.

**Les 39 travaux interdits à sabbat**

Selon la Michna sabbat 7:2, ces activités sont :
- labourer,
- semer,
- moissonner (ou cueillir),
- lier en gerbes (amasser),
- battre les céréales pour les dégager,
- vanner au vent,
- trier pour séparer grains et déchets,
- passer au crible pour trier,
- moudre,
- pétrir,
- cuire au four,
- tondre,
- laver la laine,
- peigner la laine,
- teindre la laine,
- filer,
- ourdir,
- faire des boucles de tissage pour lier,
- tisser deux fils,
- séparer deux fils de la trame,
- faire un nœud,
- défaire un nœud,
- coudre deux points,
- découdre,
- capturer,
- abattre la bête (tuer),
- écorcher ou dépecer,
- tanner,
- racler,
- tracer des traits, régler, retirer les poils,

- découper la peau,
- écrire plus de deux signes ou lettres,
- effacer plus de deux signes ou lettres (gratter le parchemin pour écrire dessus),
- construire,
- démolir (en vue de bâtir),
- éteindre un feu,
- allumer un feu,
- finir une œuvre,
- transporter d'un domaine privé dans un domaine public, ou sur une distance de plus de quatre coudées dans le domaine public.

*Katia Chapoutier écrit :*

Merci. Je me permets d'insister, si vous avez quelques minutes à me consacrer, pourriez-vous m'en dire plus sur les interdits courants qui en découlent ? Bien à vous.

*Le Blog modern orthodox écrit :*

La Torah prohibe, durant sabbat, tous les travaux accomplis par les Hébreux pour la construction du « Mishkan », le Tabernacle. Les 39 lois précitées sont ces travaux de base. À eux, s'ajoutent les interdits en découlant.

Par exemple, le trentième interdit est celui de tracer des traits (utilisé par les constructeurs pour marquer les poutres/pierres correspondantes, etc.). De cet interdit découle également l'interdit d'écrire.

Le trente-septième interdit consiste à allumer un feu. De cet interdit découle l'interdit général de l'utilisation de l'électricité, dérivé du feu. Cet interdit englobe le fait d'appuyer sur un interrupteur, d'utiliser son téléphone portable, etc.

Certains interdits, comme celui de prendre sa voiture durant sabbat, englobent plusieurs interdits « de base ». Ainsi, lorsqu'on démarre sa voiture, cela est considéré comme un dérivé de l'interdit d'allumer un feu. Lorsqu'on commence à rouler, on commet l'interdit de sortir un objet dans le domaine public (interdit 38), lorsqu'on coupe le contact, on enfreint le trente-sixième interdit (celui d'éteindre un feu), etc.

Concrètement, les interdits du sabbat sont donc très nombreux. À ces interdits se rajoute l'interdit rabbinique de « mouktsé » qui interdit de toucher ou de transporter un objet n'ayant aucune utilité au sabbat (par exemple, un stylo, puisque nous ne sommes pas censé écrire). Le but général de ces interdits est de séparer l'homme de ses occupations quotidiennes. Le mot sabbat signifie « repos » en hébreu. À sabbat, tout s'arrête. L'homme se sépare totalement de son travail, de ses occupations et inquiétudes profanes pour se consacrer à Dieu et sa famille. Précisons toutefois qu'en cas de danger, tous les interdits sautent. Comme l'enseigne la Torah, « vous garderez mes principes et mes lois. L'homme les ferra et vivra par eux » (Lévitique 18,5). Le Talmud (Yoma 85) rajoute : « il vivra par eux, mais ne mourra pas à cause d'eux ».

Où comme le résume Maimonide (Mishé Torah, lois du sabbat, 2, 3) : « Il est interdit d'hésiter à transgresser sabbat pour un malade en danger, comme il est dit (Lev. 18, 5) : "L'homme les ferra et vivra avec eux." Apprends de là que les lois de la Torah ne sont pas vengeance mais miséricorde, bonté et paix pour le monde. »

# 33

ON PARLE de plus en plus d'un éventuel conflit avec l'Iran. La menace de l'arme nucléaire plane quotidiennement sur les médias israéliens. Tout le monde est invité à venir échanger son masque à gaz pour un nouveau. On peut aller, soit le chercher au point de distribution, soit se le faire envoyer à son bureau de poste. Pour les non-israéliens, il est payant. Comptez moins de 100 shéquels (moins de 20 euros).

L'armée en profite aussi pour lancer une campagne test, d'alerte par SMS. Voilà le contenu du message : « Le commandement de la défense passive, test du système d'alerte mobile », et il sera adressé en hébreu, en arabe, en anglais et en russe. Il semblerait que les francophones le prennent mal. Hein, c'est vrai ça ? Pourquoi n'auraient-ils pas le droit de comprendre que cela chauffe ? Peut-être parce que les francophones parlent tous hébreu voire anglais ?

La rumeur annonce une attaque avant les élections américaines. Il semblerait que le gouvernement évalue déjà les pertes humaines à trois cent hommes.

Étrangement, on sent une certaine résignation, voire une habitude. La guerre fait partie du quotidien en Israël. Probablement bien plus que la paix.

Néanmoins, la vie continue. Simplement.

Dimanche, jour de travail pour beaucoup, mais jour de repos pour les chrétiens. Direction Jéricho, où l'hôtel Continental possède trois grandes piscines. Vu la chaleur du jour, on ne peut rêver mieux.

En route, la température est telle, que les fenêtres ouvertes donnent l'impression d'être à l'intérieur d'un immense sèche-cheveux.

Mais la vue, la vue... Une des plus belles de ma vie. Ce désert rocailleux, sous ce ciel bleu. Toujours cette impression de début du monde et d'infini. Et j'aime y laisser vagabonder mon esprit, mes rêves, mes envies d'aventures. Je n'ose imaginer ce que cela veut dire de crapahuter par près de 50 °C sur ces collines. Ici et là, des campements de Bédouins sédentarisés, dont les tôles brillent au soleil.

Et puis, la vision d'un champ d'oliviers massacrés me déchire le cœur. Retour à une réalité brutale. Le travail d'une vie pulvérisé par des colons, avec le détail atroce : les arbres sont stérilisés. Ces moignons restent là. Comme le témoin d'une entente impossible.

Voici l'hôtel. Il est grand et imposant, comme un cinq étoiles peut l'être au milieu du désert. Une immense enseigne « Oasis » jaillit des bâtiments et domine toute la construction. Mais cette partie de l'hôtel est une coquille vide. Il y a dix ans, c'était un casino florissant. On venait de partout en Israël pour jouer. Car c'est interdit de leur côté. C'était une manière inattendue pour les peuples de se côtoyer.

Et puis, l'intifada de 2002 a tout chamboulé. La fête est finie. Aujourd'hui, aucun risque de voir un Juif s'aventurer par ici. D'ailleurs, il n'est plus le bienvenu.

Autour des piscines, de nombreuses familles palestiniennes chrétiennes venues se détendre. Surprenant de voir les gens boire de la bière et fumer des cigarettes. Une décontraction dont on aurait presque perdu l'habitude à Jérusalem. Avec la chaleur ambiante, on rentre dans l'eau sans le moindre frisson, pour une bien douce sensation.

Après un repas de mezze locaux – houmous, taboulé, purée d'aubergines, salade arabe, foies de poulet aux oignons – retour sur Jérusalem, pour une rencontre avec un colon.

J'entends souvent parler des colons qui grignotent la Palestine dans un esprit plus ou moins pacifique. Déjà, tout bêtement, qu'est-ce qu'un colon ? Est-ce forcément un religieux féroce ? Pour en savoir plus, il y a ici un interlocuteur incontournable. Il s'appelle Michaël, il est d'origine française, journaliste et colon. Si n'importe quel média veut une info, un contact, une explication sur le sujet, c'est vers lui qu'il se tourne.

Je l'attrape au vol, juste avant qu'il ne parte en vacances. Nous avons rendez-vous à une terrasse de café. Je suis un peu intimidée car je le suis depuis un certain temps sur Facebook, et il a l'air assez sérieux comme type. Pas du genre franche rigolade. Et pourtant, quand j'arrive, son sourire franc et massif me rassure. Il est en compagnie de son meilleur ami et de sa cousine.

La discussion s'engage simplement et il n'a aucun mal à parler du sujet. Il en a tellement l'habitude. Donc, si on résume. Les colons s'installent pour deux raisons principales. Idéologique, d'abord. Surtout les premiers. Se réapproprier les terres d'Israël. Économique, ensuite. Impossible aujourd'hui d'avoir un appartement digne de ce nom à Jérusalem ou Tel-Aviv sans dépenser des fortunes. Il suffit alors de s'installer quelques kilomètres plus loin pour avoir, du coup, une maison spacieuse, pour le même budget. Forcément, c'est tentant. Et bien sûr, l'une des motivations n'empêche pas l'autre.

« On compte trois cent cinquante mille colons en Cisjordanie, un tiers ultra-orthodoxes venus pour raisons économiques, un tiers laïcs, en majorité pour les mêmes raisons, et un tiers nationalistes religieux, venus en partie pour des motivations idéologiques. Donc, clairement, le colon n'est pas forcément religieux, il peut être laïc, de gauche ou de droite. »

Bon, allez, je me lance pour la question à dix shéquels. Cela veut dire quoi, être de gauche ? Être de droite ? La réponse est multiple. Comme toujours en Israël quand il s'agit de politique ou de religion.

Comme un joli clin d'œil du hasard, un très bon copain de Michaël nous rejoint. Il est de gauche et il veut bien tenter de répondre.

« Ici, on peut être pour une solution pacifiste du conflit, avec des concessions importantes des Juifs pour la création de deux états.

En même temps, on peut être libéral, voire très libéral, à la manière d'un Madelin. Et donc, quand même, être considéré de gauche.

Deuxième cas de figure, on ne tient pas à avoir deux états, on est plus mesuré sur la solution pacifique, mais on est économiquement à gauche.

Enfin, il y a la troisième solution, la mienne, être de gauche, pour la solution du conflit, mais aussi économiquement. »

Michaël écoute attentivement son copain, lui qui est officiellement de droite. Selon Michaël, être de droite, c'est ne pas être prêt à faire autant de concessions pour la paix que ce que suggère la gauche. « Je ne dis pas qu'être de droite, c'est privilégier son pays, lui aussi veut privilégier son pays et pense que le retrait des colonies va contribuer à son objectif de garder un État juif. D'ailleurs, je ne me dis pas de droite, mais de centre parfois plus à droite, parfois plus à gauche, tant sur le plan social que politique. »

Pour lui, la solution ne passe pas par la création d'un deuxième état. Il croit à un seul état où l'on ferait sauter le mur (une erreur ce mur, selon lui) et où l'on « prendrait le risque de donner des droits aux Palestiniens ». Le tout avec une double chambre : une assemblée de députés juifs et une assemblée de députés arabes. Une sorte de confédération qui, pour lui, semble l'unique solution, au final.

« Aujourd'hui, les choses sont assez sereines, mais on sait qu'on ne peut pas rester comme cela. Ça ne pourra pas durer. »

Forcément, on en revient aux colonies. Et l'évacuation de celle de Gaza. « C'est un échec cuisant. Huit mille personnes, et aujourd'hui, seulement 20 % ont été relogées et ont un travail. Cela devait coûter trois milliards de dollars, cela en a coûté treize, et c'est loin d'être fini. Alors si on devait passer par là, pour la paix, cela voudrait dire de quatre-vingt mille à cent vingt mille évacués, vous imaginez le truc ? Non, impossible. Chacun reste où il est, et on doit apprendre à vivre ensemble. »

Croit-il à la paix ? « À gauche comme à droite, je crois qu'aujourd'hui, on est d'accord sur le fait qu'on n'a plus d'interlocuteurs face à nous. Alors, comment faire ? »

Le dada de Michaël, c'est d'expliquer que, dans les colonies, il y a des gens qui croient à la paix. Il y a même une association Eretz Shalom qui réunit Palestiniens et colons pour vivre ensemble. Seulement, selon Michaël, lesdits Palestiniens ne veulent pas trop communiquer dessus, de peur de passer pour des traîtres.

Michaël a la réputation de présenter aux journalistes des colons plutôt dans cet esprit pacifique, qui ne sont pas forcément représentatifs de la réalité. Ils sont marginaux, mais pour Michaël, c'est bien le début de quelque chose d'important.

Quand je lui évoque les actions violentes, il me parle du mouvement du Price Tag. Des jeunes extrémistes qui choisissent des solutions ultraviolentes et radicales. Eux non plus ne sont pas représentatifs, mais ils font du bruit. On pourrait presque les qualifier de version skin du colon. « Ces jeunes ne sont pas désœuvrés, mais mus par une idéologie ultranationaliste qui considère que les Palestiniens n'ont pas le droit de vivre sur la terre d'Israël et que, quand le gouvernement et l'armée israélienne ont des actions contre leur projet de "grand Israël", ils usent de la violence pour lutter contre eux, souvent en attaquant les Palestiniens. »

Il y a plusieurs manières d'être colons. Ceux qui s'installent dans des espaces qui, historiquement, appartenaient aux Juifs, et ceux qui vont de manière violente s'installer au cœur d'une population palestinienne, en prenant les logements, soit par la force, soit par l'argent. L'idée étant de grignoter de plus en plus de terres au-delà de la ligne verte et de rendre la création d'un état palestinien quasi impossible.

Quand Michaël prône le vivre ensemble, même au sein des colonies, d'autres rappellent que les colonies confisquent les terres, et même l'eau de familles palestiniennes ou bédouines qui vivent alors dans des conditions affligeantes.

Discuter avec Michaël est passionnant, et en même temps, je suis désemparée. Je n'ai pas le background nécessaire pour analyser ou contrer ses propos. En quelque sorte, je ne peux le croire que sur parole. Et si je veux avoir un autre avis, quelle possibilité me reste-t-il ? Choisir un Français ou une Française qui me semblera proche de mes idées politiques françaises et lui demander sa lecture des choses ? Même en vivant à plein-temps, je ne suis pas sûre de pouvoir avoir une vision objective de tout cela.

From :     Bertrand Effantin
To :     Katia
Subject : Pendant ton séjour à Jérusalem
Date :     Jeudi 21 juin 2012

Bonjour Katia,

Pour ton séjour à Jérusalem, tu devrais contacter Shadi. Il habite à Jérusalem est, au mont des Oliviers, et saura te guider dans la ville.

Il est Palestinien musulman, parle arabe et hébreu couramment (pratique pour circuler dans la partie ouest), son anglais est basique mais Shadi sait se faire comprendre.

Il connaît la ville comme sa poche car il était chauffeur de bus avant de travailler pour plusieurs ONG humanitaire, dont Handicap international quand j'ai été envoyé pour ouvrir la mission.

Shadi était notre logisticien-chauffeur, le genre de personne qui touche à tout, connaît tout le monde, résout les problèmes techniques, nous conduit partout dans les territoires occupés.

Il était aussi mon homme de confiance, mes yeux et mes oreilles, mon baromètre pour sentir et comprendre la situation volatile du pays où tout peut basculer en trois minutes. C'est aujourd'hui mon ami.

Pour ma famille et moi, il a été l'ange gardien qui anticipait nos besoins quand nous sommes arrivés pour vivre dans cette ville déconcertante et fascinante à tout point de vue.

Mes enfants avaient 2 ans et 4 ans, il était d'une douceur discrète et d'une gentillesse immense. Il appelait ma fille, très timide à l'époque, « my queen Faustine », et mon fils, « my friend Arthur ».

Tu verras, Shadi, c'est aussi un poète, un amoureux de sa ville et de son pays, un sens de l'humour aiguisé et un sourire éclatant.

Il m'a conduit partout, de la vallée du Jourdain au point frontière d'Allenby Bridge, de la Jordanie jusqu'au *check point* d'Erez, à Gaza.

Il était capable de faire de l'humour dans des moments incroyablement tendus, tout en gardant le contrôle.

Un jour où je ressortais d'une visite à Gaza et que je passais les multiples étapes de contrôle de l'armée israélienne, que des obus de mortier tombaient non loin de là, j'appelle Shadi, une fois sorti, pour voir s'il est bien au rendez-vous sur le parking où nous avions l'habitude de nous retrouver. Le temps pressait car je ne voulais pas traîner. Au téléphone, il me dit : « *Sorry, I'm running late because of traffic, I'll be there in forty-five minutes*[1]. » Je vois un obus tomber à deux cents mètres, et je me dis que ces minutes vont être très longues. Le temps de penser cela, je vois Shadi arriver au bout du parking, en voiture. Il arrête la voiture devant moi, porte passager ouverte, et me dit avec un large sourire : « *Yallah !* » Ça, c'est Shadi.

Shadi a rencontré sa femme, Kifah, d'origine palestinienne, réfugiée en Jordanie qui travaillait alors pour Handicap international à Hamman. Kifah coordonnait l'arrivée du chauffeur jordanien qui venait me récupérer, de l'autre coté du Jourdain, quand Shadi m'avait laissé sur l'autre rive. La circulation étant interdite pour une voiture immatriculée à Jérusalem, la traversée se faisait à pied. Lorsque Shadi me laissait, il téléphonait à Kifah pour lui dire que j'étais en train de franchir la frontière. Kifah signalait ensuite mon arrivée imminente au chauffeur jordanien.

Au fil des passages et des appels, Shadi et Kifah ont fait connaissance sans jamais se voir.

Un jour que je rentrais d'Amman par le même chemin, retrouvant Shadi qui venait de recevoir le signal de mon arrivée par Kifah, il me demande : « *How is Kifah*[2] *?* » et je lui réponds que si, un jour, il pouvait voir le sourire de Kifah, il tomberait amoureux d'elle.

Quelques mois plus tard, j'avais quitté la Palestine pour une autre mission et Shadi me téléphone : « *Abou Arthur !!! I want you to be the first to know, I succeeded to travel to Amman, I met Kifah with my elder brother and she agreed to join me in Jerusalem, Inch'Allah, when*

---

1. « Pardon, je suis en retard à cause du trafic mais je serai là dans quarante-cinq minutes. »
2. « Comment est Kifah ? »

*she gets the visa and to become my wife !!! I am so happy*[1] *!!! »*

Depuis, Shadi prend soin de l'olivier que nous avons planté dans la cour de l'école où mon fils allait, sur le mont des Oliviers. Nous nous parlons de temps en temps avec plaisir et nous nous reverrons.

Essaye de le rencontrer. Shadi est une des très belles personnes à rencontrer dans cette ville. Tu as beaucoup de chance d'y aller, je partirais bien dans tes bagages !

Bon voyage.
Je t'embrasse,

Bertrand

---

1. « Papa d'Arthur, je veux que tu sois le premier à savoir, j'ai réussi à aller à Amman. J'ai rencontré Kifah avec mon frère aîné et elle a accepté de venir à Jérusalem, si Dieu veut, quand elle aura un visa, et de devenir ma femme ! Je suis si heureux ! »

# 34

Il s'appelle donc Shadi. Il a 31 ans et il est toujours chauffeur pour Médecins sans frontières. Et quand on rencontre un chauffeur, on a envie de faire un tour en voiture avec lui. Ce soir, Jérusalem by night nous tend les bras.

On ne se connaît pas, mais si Bertrand, mon ami d'enfance, me dit qu'il faut le rencontrer, alors je vais lui faire confiance. Parfois, cela suffit pour ouvrir son cœur. L'anglais de Shadi est, en effet, très *Arafat english*, mais ce n'est pas grave, nous nous sommes vite compris, vite apprivoisés.

Il est né à Jérusalem. Il est Palestinien. Enfin, disons qu'il a un passeport jordanien qui ne lui donne aucun droit en Jordanie et une pièce d'identité israélienne qui lui donne quelques droits, mais sûrement pas la citoyenneté.

Il vit sur le mont des Oliviers. Et c'est donc par là que nous avons commencé notre périple. Direction : vue imprenable sur l'esplanade des Mosquées. Dans la nuit, la vieille ville est comme une féerie de lumières.

« Tu vois l'esplanade ? Regarde, il y a des milliers de gens qui prient. La prière du soir est très importante pendant le ramadan. Mais la prière la plus importante sera mardi, toute la nuit. On sera au plus près de Dieu, ce sera le moment de demander tout ce qu'on veut.

– Tu vas faire une liste, pour ne rien oublier ?

– Non. Deux choses seulement. Tout d'abord, garder ma famille. C'est bien sûr le plus important. Ma femme, mon enfant. Et puis, deuxièmement, la paix. Parce que si nous avons la paix, tout viendra avec. Le bon travail, la vie plus douce… Tout viendra. »

En effet, on est loin de la lettre au Père Noël. On remonte en voiture. « On achète à boire et on continue en voiture ? Ou bien tu veux aller t'asseoir dans un café ?

– C'est toi qui décides. C'est ta ville. »

Nous voici donc en route, avec deux cafés glacés. Traduction : des nescafés au lait, très sucrés, avec de la glace pilée. Le pire, c'est que c'est excellent. Surtout par cette chaleur.

Shadi me raconte son histoire. Comment Bertrand lui a permis de rencontrer sa femme jordanienne. La difficulté de la rapatrier ici à Jérusalem, d'avoir des papiers. Mais aujourd'hui, c'est un papa heureux et elle a fini par s'habituer à cette ville où elle n'avait pas d'amis. Parfois, sa famille à elle vient, mais ce n'est jamais facile. « C'est plus simple pour moi d'aller là-bas, d'un point de vue administratif. »

Nous passons par le quartier de Beit Anina, quartier palestinien en pleine effervescence car, à 22 heures, en période de ramadan, la soirée ne fait que commencer. « Tu as goûté les Knaffa ? – Les quoi ? – Ce sont des pâtisseries typiques de Jérusalem. Ici, au Jafar Sweet, ce sont les meilleurs, cela te dit ? »

Évidemment que cela me dit. Et me voilà, attablée avec un délice au miel, à la semoule, un fromage à la texture de mozzarella fondue. Exquis, mais plus que riche, plus que calorique, parfait pour un grand gaillard qui aurait jeûné quinze heures d'affilée. Quand je m'apprête à payer ma part, il me glisse à l'oreille : « Dans la tradition arabe, tu ne peux pas payer, tu dois me laisser payer. Vraiment. » D'accord, seule étrangère dans les lieux, je ne me sens ni d'argumenter ni de lui faire perdre la face.

Retour en voiture. « Je vais t'emmener aussi, un peu, du côté juif. » La nuit, sous les projecteurs, les remparts de Jérusalem sont encore plus imposants. Pas de doute, il est fier de sa ville. Même si celle-ci est loin de lui simplifier la vie.

« Cela fait sept ans que j'attends mon permis de construire. Sept ans, et je ne suis pas sûr de l'avoir un jour. Mon loyer est hors de prix. Plus de 2 000 shéquels, et avec les factures, on arrive à 3 500 shéquels. Pour acheter, on parle de 300 000 voire 400 000 dollars. Alors forcément, pour les Juifs, c'est plus facile, car la banque leur accorde des prêts. Moi, je suis chanceux, j'ai réussi à ouvrir un compte dans une banque israélienne, mais je n'ai pas le droit d'avoir un prêt. Enfin, si, le maximum que l'on peut m'accorder c'est 30 000 shéquels (environ 6 000 euros), alors qu'un Juif, il aura, lui, 300 000 dollars. Je dis bien dollars. Moi, je n'ai pas droit aux dollars. »

Sa voix est résignée. Cette réalité, ce quotidien, c'est le prix à payer pour rester ici.

« Tu n'as jamais pensé quitter Jérusalem ?

– Jamais, il n'y a nulle part au monde un endroit comme Jérusalem. Même si c'est dur, même si c'est une tension permanente. Même si on ne sait jamais ce qui nous attend au quotidien. Car, chaque jour, ils éditent de nouvelles lois. »

Ainsi, il me raconte comment des voisins du mont des Oliviers qui, comme lui, attendaient leur permis de construire depuis des années, ont accepté de céder leur terre en échange d'un permis de construire dans un autre quartier.

« Ils ont cru que c'était une bonne affaire. Mais l'autre permis de construire n'est jamais arrivé. Ils ont décidé d'aller en justice. Cela n'a mené nulle part, on leur a demandé des justificatifs qu'ils n'avaient pas. Et c'est comme cela que, petit à petit, ils récupèrent nos terres. »

Un court silence, et il reprend avec beaucoup d'assurance et une voix enjouée.

« Tu sais, il y a un dicton arabe qui dit que, quand on naît dans un lieu, c'est comme du mastic. On ne le quitte pas. Après un séjour dans la famille de ma femme, quand je reviens, eh bien, dès que j'aperçois, au loin, le mont des Oliviers, je me sens vivant, je respire pleinement. »

Quand je vois la force avec laquelle il exprime son lien viscéral à Jérusalem, je n'ai qu'un regret : ne pas être en train de le filmer. Avec son anglais brinquebalant, il est incroyablement bouleversant.

« J'aime cette ville plus que tout. Je ne la quitterai pas. Jamais.

Mais il nous manque deux choses ici. Premièrement : la paix.

La paix, c'est tout. Si on a la paix, on pourra tout faire. Les gens marcheront partout et n'importe quand dans la rue. Ils pourront se mélanger. Ce sera simple.

La deuxième chose qui nous manque, c'est la mer. Bien sûr, il y a la mer à Tel-Aviv ou la mer Morte. Mais la mer à Jérusalem, ça, ça serait quelque chose quand même.

– Tu y crois, à la paix ?

– C'est possible. Mais ce sera très, très difficile. Cela va nous coûter. C'est sûr. Ils ne nous rendront pas nos terres pour rien. C'est impossible. »

Nous arrivons dans le quartier de la German Colony. Plein de jolies petites maisons du XIX$^e$ siècle. Le soir, cela regorge de vie. Les restaurants sont pleins, toutes sortes de gens se promènent, mais pas l'ombre d'un Palestinien.

« Tu vois, ici par exemple, tu sens que c'est arabe. Tu le sens dans les pierres. Ces pierres, elles parlent. Des fois, je passe en voiture, simplement pour les sentir. Ils nous ont volé ces pierres, ces maisons. Tu ne sens pas l'atmosphère arabe ici ? Si ce ne sont pas les pierres, ce sont les constructions, ou encore la disposition des jardins qui prouvent que c'est arabe. Forcément, les Juifs ont pris ce qu'il y avait de meilleur, nos plus belles maisons.

C'était à nous, et pourtant, si là, je descends de la voiture pour aller dans un restaurant, ils vont me regarder, voir que je suis Arabe, et je vais tout de suite avoir des problèmes. »

Il se tait un instant. « Non, vraiment, là, c'est définitivement arabe. Mais comment veux-tu qu'ils nous rendent tout cela s'il y a la paix ? »

Plus loin, il me montre la grande boîte de nuit de Jérusalem. Le Nisko.

« Elle est ouverte à tous ?

– Oui, mais bon, c'est quand même très difficile pour les Arabes d'y entrer. Il faut imaginer, il y a environ vingt types de la sécurité, armés. Ce sont des Russes, ils ne parlent que russe. Alors, quand on essaie de parler, ils ne comprennent pas, ne cherchent pas à comprendre. Ils frappent.

– Tu as essayé d'y aller toi ?

– Noooon, à quoi bon ? »

Sa voiture, c'est son univers, son monde, sa manière de s'approprier sa ville.

« Mais, tu sais, il y a des *check points* volants. On nous arrête et on nous pose toutes sortes de questions. On peut nous faire plein de problèmes. Par exemple, si on transporte des gens de Cisjordanie, eh bien, c'est un vrai souci, car c'est interdit. Je risque alors 1 000 shéquels d'amende, trois mois de retrait de permis et un passage en justice.

– Ils ont tous les droits, alors ?

– C'est bien le problème. Si je fais appel à la justice pour une injustice, à quoi ça sert, puisque de toute façon, ce sont leurs tribunaux. On va leur demander quoi ? De nous libérer ? Non, rien à faire.

Mais une chose est sûre, malgré toute cette pression, nous voulons rester. Pourquoi ? Parce que c'est la terre de nos grands-pères.

Quelques-uns finissent par se lasser et par partir aux États-Unis. Certains font même fortune. Mais quand ils veulent revenir, ce n'est plus pareil. Ils ont perdu leur droit, l'accès à leur papier d'identité. Et si, finalement, on les laisse rentrer, ils ne peuvent plus rien faire. C'est fini. Alors partir ? Non, jamais. »

# 35

PLUS les jours passent et moins je sais. Moins je comprends ce pays, et plus précisément cette ville.

Plus j'ai du mal à m'identifier ou à me reconnaître dans l'une ou l'autre des catégories. Je saisis de moins en moins bien la religion de chacun.

Ainsi, aujourd'hui, j'ai accompagné un petit groupe visiter l'église Sainte-Marie-Madeleine. Notre guide, un prêtre orthodoxe français, m'a tiré de ma torpeur quand il a expliqué la communion orthodoxe.

Au moment de prendre le pain, vous devez décliner votre prénom. Si celui-ci n'est pas clairement orthodoxe, alors le prêtre posera des questions supplémentaires pour s'assurer que vous êtes bien orthodoxe.

Le père Pierre nous a expliqué combien il lui semblait important de s'assurer que l'on ne donne pas la communion à n'importe qui. Pour lui, il y a une vraie faiblesse dans le système catholique puisqu'on prend le risque de profaner l'hostie en la donnant à un non catholique. Selon lui, il va falloir sérieusement réfléchir à un moyen d'éviter ce risque.

Aussi sympathique et érudit ce prêtre m'avait-il paru que, soudain, j'ai senti comme un ras-le-bol. OK, la communion est sacrée, mais de là à dresser, encore une fois, des barrières…

Cette petite anecdote m'a laissée songeuse pour le reste de mon après-midi, alors que je me baladais dans une des artères commerçantes de la ville. Puisque chaque religion prône d'une manière ou d'une autre le respect et l'amour de l'autre, pourquoi toutes érigent-elles des murs (et pas qu'au figuré, malheureusement) ?

Pourquoi ont-elles autant peur de l'autre et de ses différences ? Alors même qu'elles devraient nous apprendre à aller vers lui.

Aujourd'hui, dans la rue, je portais une robe noire on ne peut plus sobre et un foulard sur la tête, un Arabe m'a montré du doigt en commentant ma tenue à ses amis, d'un air assez désagréable. Clairement, je ne rentrais pas dans ses critères de respectabilité.

Un peu plus tard, alors que j'achetais un fallafel, le vendeur m'a demandé si je voyageais seule. « Euh, oui ! – *Where is Papa ? – He works in France. – Oh, not good, not good*[1]. » Soudain je n'étais plus vraiment fréquentable.

La relation à l'autre dépend tellement du morceau de tissu que l'on porte ou pas. Et même, de comment on le porte. Bien souvent, si on ne fait pas partie du même groupe, les regards s'évitent. Comme dans le tram, où Palestiniens et Israéliens réussissent l'exploit d'être à quelques centimètres les uns des autres sans se voir.

Il y a des jours où je m'émerveille de la possibilité, pour moi étrangère, de naviguer d'un monde à l'autre dans Jérusalem. Un véritable monde, à l'intérieur même d'un pays. Puis, il y a des jours comme aujourd'hui où je suis lassée. Lassée de ces frontières invisibles qui sont si présentes, lassée de n'appartenir à aucun groupe (si ce n'est éventuellement celui des journalistes expats), lassée de ne pas pouvoir me promener et vivre comme je le voudrais sans offenser un de mes prochains.

Et pourtant, chaque jour, je rencontre des gens qui ont fait le choix de rester à Jérusalem. Parfois un choix radical.

---

1. « Où est le papa ? – Il travaille en France. – Oh non, c'est pas bon, pas bon du tout ! »

Prenons donc ce frère Pierre qui nous a fait visiter l'église russe de Sainte-Marie-Madeleine, il est devenu prêtre orthodoxe, et cet engagement n'est *a priori* pas étranger à son envie de rester à Jérusalem. Une envie qu'il qualifie « d'appel ».

Prenons Marie-Armelle, folle amoureuse de cette ville, au point de n'être pleinement épanouie que lorsqu'elle foule les pavés de la vieille ville.

Prenons l'exemple d'Alexandra qui, depuis sa conversion à la religion juive, ne s'imagine plus vivre ailleurs, même si elle souffre de toutes ces intolérances aussi.

Probablement parce que cette ville est aussi viscéralement attachante qu'insupportable. La grande majorité de ceux qui vivent là ne peut plus, ne veut plus la quitter. Même si, tous autant qu'ils sont, ils reconnaissent le besoin de souffler régulièrement. Et paradoxalement, combien de Français qui vivent ici m'ont décrit le manque de Jérusalem au bout d'une semaine de retour au pays ?

Est-ce que j'ai, moi aussi, attrapé le virus ? Est-ce que, moi aussi, j'aurai le mal de Jérusalem quand je serai rentrée ? Dieu seul le sait.

Mais, tous les habitants de Jérusalem n'en sont pas forcément fous amoureux.

Ainsi, il y a Dror, un journaliste rencontré il y a quelques jours. Il était venu faire ses études à Jérusalem quand, le 31 juillet 2002, il a été victime d'un tristement célèbre attentat. Celui de l'Université hébraïque d'Israël.

Le jeune étudiant avec qui il déjeunait est tué sur le coup. Lui est grièvement blessé au pied et au thorax. Hier, il nous racontait, à notre terrasse de café, l'incroyable élan de solidarité qui s'est créé. Des gens connus, et d'autres qu'il n'avait jamais rencontrés, sont venus se relayer à son chevet.

« L'expérience de l'attentat a renforcé, paradoxalement, mon attachement à Israël. Mais finalement, pas à Jérusalem. »

Aujourd'hui, dix ans plus tard, il a surmonté le traumatisme. « Il paraît, selon une étude, qu'il est plus simple pour les victimes gravement blessées de surmonter le traumatisme de l'attentat que pour ceux qui sont légèrement blessés ou indemnes. » Dror a aujourd'hui deux enfants en bas âge et il reste à Jérusalem. « Je ne ressens aucune espèce de lien spirituel à Jérusalem. J'y apprécie le climat et les paysages, le fait d'être en altitude. Mais c'est à peu près tout. »

On peut donc avoir un amour raisonné pour Jérusalem. Difficile à imaginer pour moi qui ai tellement l'impression que l'on ne peut que naviguer de l'amour passion à la haine, avec cette ville.

## 36

Nous l'appellerons Esther. Belle femme, petite quarantaine. Fille de rabbin orthodoxe et mariée à un
religieux. Elle est pétillante et curieuse. Elle vit à Paris
et elle est en vacances à Jérusalem, comme bien souvent
l'été. Nous nous sommes rencontrées il y a quelques
jours. Nous avons décidé de passer une journée ensemble.
Parce que parfois, il est plus simple d'être touriste à deux.
Probablement aussi parce qu'on a nourri une curiosité
respective.

Elle a proposé de visiter le quartier arménien de la
vieille ville. J'ai suggéré l'hôpital Hadassah où l'on peut
voir les fameux vitraux de Chagall. Finalement, nous nous
sommes donné rendez-vous à l'American Colony.

L'American Colony, elle n'y était jamais venue. Car, en
fait, comme beaucoup d'Israéliens ici, sa perception de
Jérusalem s'arrête aux quartiers juifs. Pas de raison d'aller
au-delà. Mais la curiosité d'Esther l'emporte, pour cette
fois-ci. « Ah bon, les Juifs et les Palestiniens viennent ici ? »
À bien y réfléchir, maintenant qu'elle demande, je me
souviens surtout avoir vu des étrangers et des Palestiniens.

En même temps, je ne suis pas non plus une incon-
ditionnelle des lieux. Esther est tellement intriguée par
l'hôtel qu'elle demande même à visiter les chambres. Je
ne suis pas contre, j'en avais toujours rêvé.

Puis, nous partons direction le célébrissime hôpital
Hadassah. Plus qu'un hôpital, cela semble aujourd'hui
être une ville avec son centre commercial intégré et son
ultramodernité rassurante.

Là aussi, les Juifs et les Palestiniens se croisent. Même si, j'avoue, j'ai plus de mal à repérer ces derniers dans le grand hall. L'hébreu d'Esther nous simplifie grandement la vie pour trouver la synagogue qui abrite les douze vitraux de Chagall.

Une synagogue fermée pour les trois semaines à venir, pour cause de restauration.

Pour imaginer ma frustration, il faut considérer que, même avant de savoir que j'irai à Jérusalem il y a plus d'un an, je rêvais de ces vitraux. Un peu comme le rendez-vous avec un amoureux que vous attendez depuis des semaines. Vous avez acheté une jolie robe, vous êtes prête, maquillée. Vous l'avez rêvé mille fois. Et au final, il se contente d'un texto pour dire que, non, ce ne sera pas possible. Eh bien, voilà mon degré de frustration.

Du coup, nous sommes allées faire escale à Ein Kerem pour un vrai petit déjeuner israélien. Un joli petit village aux frontières de Jérusalem où l'on trouve quelques belles terrasses. Il y a un je-ne-sais-quoi qui m'évoque la Californie. Une pointe d'atmosphère hippy chic, peut être.

Cette pause est l'occasion d'en savoir un peu plus sur Esther. Elevée dans la religion juive orthodoxe, Esther se cherche aujourd'hui. Elle a envie d'explorer les autres religions et même, pourquoi pas, s'essayer au bouddhisme.

Elle tombe des nues quand je lui dis qu'il n'est pas forcément facile d'évoluer à Jérusalem quand on ne parle pas hébreu. Pour elle, c'est une terre d'accueil forcément chaleureuse. Et pour cause, elle a tous les codes des quartiers où elle évolue régulièrement. Dans le fond et dans la forme.

Elle m'explique son envie de mieux connaître le quartier arménien car l'une de ses meilleures amies est Arménienne. Elle a toujours eu une grande tendresse pour cette culture. Le génocide est comme un lien invisible entre les deux peuples, me dit-elle. Une souffrance proche. « J'ai appris quelques mots d'arménien, je sais qu'ils seront utiles car cette partie de la vieille ville est assez fermée », m'explique-t-elle. C'est vrai que j'ai toujours entendu parler du fait que ce quartier est bouclé le soir et qu'il n'est pas donné à tout le monde de le visiter.

Il suffira en effet d'un mot d'Esther pour nous laisser rentrer. Un bonjour en arménien. Alors que bien d'autres touristes devront rester à la porte. Nous nous retrouvons dans un quartier magnifique, digne d'une ville fantôme. Pas âme qui bruisse. Seule preuve de vie : du linge pend aux fenêtres. Je me sens comme une intruse qui regarderait par le trou de la serrure. Et en même temps, c'est tellement beau.

Une grand-mère pointe le bout de son nez. Esther sort ses quelques mots d'arménien. Quelque chose me met mal à l'aise dans leur échange, sans que je sache trop pourquoi. En fait, Esther est en train de prétendre qu'elle est d'origine arménienne. Je préfère m'éclipser.

Ado, j'adorais m'inventer des vies et prétendre être une autre. Disons qu'il y a encore vingt ans, cela m'aurait amusée, mais là, non. J'attends un certain temps, puis Esther arrive. Elle m'explique qu'elle a essayé de nous faire inviter pour un thé, mais ses lacunes en arménien l'ont poussée dans une impasse. Elle a alors prétendu parler un embryon d'hébreu pour se rendre crédible.

Je ne dis rien mais je suis contrariée. Elle rentre dans une sorte de petite librairie et recommence le même scénario qu'elle semble construire au fur et à mesure. Sa famille arménienne. Ses liens avec sa grand-mère, etc. Je sors de la boutique, excédée. Elle joue son rôle à la perfection. Et moi, j'en ai assez.

Quand, vingt-cinq minutes plus tard, elle ressort, ravie, je craque et dis le fond de ma pensée. Esther m'explique alors que c'était le seul moyen d'entrer en contact avec les gens et d'en savoir plus sur eux. Mais quel est l'intérêt d'une relation humaine si elle démarre sur un mensonge ? Une duperie ? Pour Esther, ce n'est pas vraiment un mensonge puisque son amie, si proche, qu'elle adore, est arménienne, c'est donc comme sa famille.

Je suis terriblement sceptique et cela m'interroge sur ma manière de voyager depuis mon arrivée. Je n'ai à aucun moment prétendu être quelqu'un que je n'étais pas car, pour moi, ce serait instrumentaliser l'autre. Et, bizarrement, dans une terre sainte, cela me semble presque pire.

Bien sûr, j'ai épousé les codes vestimentaires, mais dans le but de me faire accepter, pas de me faire passer pour une autre. Esther est surprise par ma réaction. Elle essaie de se justifier. J'essaie de me détendre.

Nous décidons d'aller nous balader dans la vieille ville. Côté souk. Assez rapidement, je comprends qu'Esther n'y est pas venue depuis de nombreuses années. Son mari est terrifié à l'idée de déambuler dans ces quartiers-là, beaucoup trop dangereux, selon lui. Alors, depuis des années, elle avait renoncé. Elle semble naviguer entre le frisson et le soulagement. Elle s'émerveille devant les étals. Nos pas nous amènent vers le Saint-Sépulcre. Et, bouleversée, elle me dit qu'elle n'y est jamais allée.

« Tu vois, Esther, l'année dernière, quand je suis arrivée, une des premières choses que j'ai faite, c'était de faire le tour des divers lieux saints. Le Mur, le Saint-Sépulcre, l'esplanade des Mosquées. Je suis étonnée que, toi qui viens depuis des années à Jérusalem, tu n'as jamais eu cette curiosité-là. »

Esther m'explique alors que, dans sa religion, il n'en est pas question. Encore moins sur l'esplanade des Mosquées, car il y aurait l'idée de fouler l'emplacement du temple, du saint des saints, et même pire, de se positionner au-dessus du lieu le plus saint de sa religion.

Alors qu'elle rentre dans le Saint-Sépulcre, elle est tout simplement bouleversée. Profondément émue. Comme un monde qui s'ouvre à elle. Elle découvre que d'autres personnes peuvent avoir la même ferveur que ceux qui prient au Mur. La même intensité de croyance. L'avait-elle seulement imaginé ? Probablement pas.

Nous repartons dans les rues de la vieille ville et, soudain, elle aurait envie de pousser toutes les portes. Je lui propose alors de lui faire découvrir l'hospice autrichien, avec sa magnifique terrasse fleurie, au-dessus de la Via Dolorosa. Elle en avait entendu parler mais n'avait jamais osé venir jusque-là. Elle est tout simplement enchantée, tout en étant impressionnée par son escapade intrépide.

« Vas-tu raconter à ton mari ta balade dans la vieille ville ? Ta découverte du Saint-Sépulcre ?

– Je ne pense pas.

– Cela doit être dur de ne pas partager les moments forts que tu vis avec ton mari.

– Je crois que j'ai pris l'habitude.

– Mais quel est l'intérêt des religions si elles poussent au mensonge, à la cachotterie, et qu'elles font pousser des murs entre les gens ? »

Esther réfléchit. « Oui, peut-être que je lui parlerai, ce soir. »

Alors, bien sûr, moi, je réagis avec mon envie de vérité, mon besoin d'être en accord avec moi-même, mon absence de chape religieuse.

Qui suis-je pour aller bousculer ses certitudes ? Ne suis-je pas en train de lui faire payer mon ras-le-bol des codes des religions ?

En même temps, je me questionne : peut-on être en accord avec soi-même et sa propre vie si on vit dans la cachotterie ? Et en particulier auprès de l'homme qu'on a choisi comme partenaire de route ?

Esther, encore bouleversée par sa visite au Saint-Sépulcre, me fait part de son envie plus vivace que jamais d'explorer les autres religions. Là, sur la formidable terrasse de l'Austrian Hospice, à l'abri du brouhaha de la vieille ville, elle évoque ses espoirs et ses envies de paix.

Puis, je lui propose de rentrer car je commence à fatiguer. Nous sommes en balade depuis une dizaine d'heures. Pour la femme enceinte que je suis, c'est beaucoup par la chaleur qu'il fait. Avant de sortir de l'hospice autrichien, je lui explique que nos chemins vont se séparer. Moi, à droite, pour aller à la porte de Damas. Elle, à gauche, pour rejoindre le Mur et retrouver le chemin de sa voiture. C'est on ne peut plus simple.

Elle sourit. « Ah oui, le Mur, je connais. Je me retrouverai après sans problème. »

Alors que nous sortons, nous nous retrouvons face à un afflux compact et impressionnant. Des centaines et des centaines de musulmans sont en route pour l'esplanade des Mosquées.

J'avais oublié, ce soir, c'est la nuit « plus proche de Dieu » dont m'avait parlé Shadi. Pas de chance pour notre Esther, même moi cela m'impressionne. En souriant, je lui dis : « Eh bien, tu vois, c'est facile, tu suis ces gens, ils vont tous dans la même direction que toi. »

Je vois de la terreur dans ses yeux.

C'est un peu comme pousser quelqu'un dans une piscine olympique alors que, phobique de l'eau, il vient d'accepter pour la première fois de glisser son orteil dans la pataugeoire. « Heu, je crois que je ne vais pas pouvoir. Je risque de paniquer. Il pourrait y avoir un problème. Je pense que je vais te suivre en fait. »

Alors Esther, courageusement, remonte la foule à contrecourant. Elle avance avec conviction, et moi, j'essaie d'imaginer l'effort surhumain que je lui demande de fournir. J'essaie de concevoir une situation équivalente dans laquelle je pourrais me trouver. Remonter un essaim d'Hells Angel ? Me retrouver dans une manifestation de catholiques intégristes ? Non, franchement, je ne vois pas.

Nous finissons finalement par sortir de la vieille ville. Esther a décidé de faire le tour des remparts par l'extérieur. Même là, l'afflux est encore très impressionnant.

« Tu vois, là, si on me demande ce que je suis… Eh bien, je crois que pour la peine, mentir serait non seulement justifiable mais nécessaire. »

En effet, sur ce coup-là, Esther, tu n'as pas tort. De quoi sérieusement ébranler mes certitudes.

## 37

QUAND on sort entre amis, ici, on ne se raconte pas ses anecdotes de bringues, mais plutôt ses mésaventures de temps de guerres et ses souvenirs de période d'attentats. Je force le trait mais, franchement, à peine.

Cela fait plusieurs fois que je me retrouve avec des gens qui se souviennent comment ils ont échappé à une bombe, à quelques minutes ou à une heure près. Certains se rappellent du bruit, des vibrations. D'autres évoquent immédiatement la panique qui a suivi. Tous savent précisément ce qu'ils faisaient les heures d'avant, et pourquoi.

Dror, rencontré il y a quelques jours, n'oubliera jamais qu'il a proposé à l'étudiant qui l'accompagnait, David, de faire le tour du campus de l'université avant le déjeuner. Mais David avait faim. Une faim qui lui vaudra de mourir, quelques minutes plus tard, sous les yeux de Dror.

Rania, Palestinienne chrétienne, se souvient de la détonation dans la rue commerçante. Elle s'est alors sentie partagée entre le besoin d'aller voir ce qui se passait et l'inquiétude d'être sur les lieux, en tant que Palestinienne. « Je me souviens. Les gens sont partis en courant, puis, finalement, ils sont revenus sur leurs pas voir ce qu'il s'était passé. J'ai fait pareil, mais très peu de temps. Je ne voulais pas que ma mère s'inquiète quand elle entendrait la nouvelle. »

Tout le monde partage aujourd'hui l'appréhension du bus à Jérusalem qui, pendant longtemps, était la cible privilégiée. Certains n'en ont jamais repris, ou seulement en cas de force majeure. De la même manière, on sent que le tram suscite une certaine angoisse. Il serait une cible symbolique.

Selon Marie-Armelle, ces attentats, il y a dix ans, se concentraient souvent du côté des rues commerçantes et piétonnes, type Jaffa Street. Ils ont changé la géographie de la ville. Peu à peu, d'autres quartiers ont pris vie. Pour mieux s'éloigner du danger, tout en continuant de vivre. Aussi normalement que possible.

On se souvient avec une certaine tendresse de la guerre du Golfe. Les premiers jours, tout le monde était terrifié, et puis, comme un ouragan qui s'avère moins redoutable que prévu, beaucoup ont relâché la pression.

On évoque les victimes civiles absurdes. Ceux qui se sont étouffés avec les masques à gaz. Des enfants en particulier, qu'on a forcés et qui, dans la panique, ne pouvaient plus respirer. D'autres civils se sont inoculés l'antidote des gaz. Le problème c'est que, si c'est donc un formidable antidote en cas d'inhalation de gaz, malheureusement, c'est un poison, pris tout seul. Visiblement, à l'époque, à trop vouloir bien faire, on n'avait pas su exactement comment former les gens à l'utilisation des outils de prévention.

Si on parle autant de ces souvenirs de guerre, c'est aussi parce que le potentiel conflit avec l'Iran est très présent dans les conversations. Ce matin, les médias ont annoncé qu'il ne se passerait rien jusqu'en juin prochain. Une bouffée d'oxygène, en demi-teinte, car il est clair que le pays continue à se préparer. Les masques à gaz, les SMS d'alerte et les évacuations d'étrangers seront toujours présents en filigrane dans les discussions.

Tous ces échanges se terminent toujours de la même manière. On évoque le poids de la menace (plus réelle à certains moments qu'à d'autres). L'incapacité des gens de passage à supporter cette atmosphère. Mais ceux qui sont là, qui habitent là, eux, ils veulent, quoiqu'il arrive, rester. Quelles que soient leurs origines, leurs raisons d'être là, si les choses se compliquent, ils ne quitteront pas Jérusalem pour autant. Ils ont cette ville dans la peau, et ce n'est certainement pas pour la lâcher le jour où elle sera, une fois de plus, en difficulté.

# 38

QUARTIER de la vieille ville. Le souk bouillonne d'activités.

L'approche de la fin du ramadan et de la fête de l'Aïd n'y est pas pour rien. Les gens marchent vite et ne se voient bien souvent pas.

Un prêtre orthodoxe, dans sa tenue noire impressionnante, avec sa grande barbe, vient du Saint-Sépulcre. À l'approche d'un enfant musulman, il ralentit. Il lui caresse alors la joue. L'échange ne se passe rien qu'entre eux. Mon regard croise celui de la mère voilée, j'y lis de la fierté. L'instant n'aura duré que quelques secondes, et il va illuminer ma journée.

Déjà, parce qu'il est rare, beau, offert. Mais aussi parce que j'ai tellement entendu parler d'animosité envers les religieux. Dans la vieille ville, selon les dires d'un prêtre catholique, régulièrement, ils reçoivent des crachats de la part de religieux juifs.

Indifférence profonde ou agressivité sont les options les plus courantes, semblerait-il. J'ai pu parler des rapports humains à Jérusalem avec frère Jean. C'est un prêtre en pèlerinage, de la congrégation de Saint-Jean. Ceux qu'on appelle les petits gris, en raison de leur soutane gris souris.

Il fait partie de ces prêtres dont l'intelligence, la subtilité et la simplicité vous donnent envie de reconsidérer la pratique religieuse. Une ouverture vers les autres, des avis bien construits et un fin sens de l'humour font de lui un guide idéal de la partie chrétienne de la vieille ville.

Nous avons commencé par une excellente limonade à la menthe, au Roof, l'une des plus incroyables terrasses qui m'aient été données de voir ici. Protégé par des tentures, on est à son aise pour scruter l'improbable enchevêtrement de la vieille ville. Impressionnant.

« Ici, quand on rencontre les gens, il faut s'intéresser à leurs différences. Cela doit être le point de départ. Car, si on se focalise sur les points communs, on ne va pas bien loin, et on ne rencontre que soi, finalement », m'explique le moine.

Il a appris à naviguer au sein des différentes communautés du Saint-Sépulcre. Il se désole que l'on s'évertue à recueillir ou relater seulement les tensions qu'il peut y avoir. « C'est comme une famille qui partagerait le même appart', il y a des moments, l'éponge crado dans le lavabo, c'est la fois de trop, et on le dit de manière désagréable. Mais la grande majorité du temps, ces gens-là vivent en bonne intelligence. »

Frère Jean aime le Saint-Sépulcre de manière tout aussi viscérale que Marie-Armelle. Alors forcément, cela donne envie d'y aller avec lui. Quitte à slalomer entre les groupes bruyants.

Première étape, la pierre de l'onction. Et une révélation. Pourquoi les gens caressent ce marbre avec des mouchoirs en papier délicatement pliés ensuite ? Parce que, régulièrement, des pèlerins l'enduisent d'huile de nard. « Le nard est répandu sur la pierre de l'onction en mémoire de celui que Marie-Madeleine a versé sur les pieds de Jésus en prévision de son embaumement. »

À peine le frère a-t-il terminé son explication, qu'un prêtre grec orthodoxe vide une fiole. Une odeur douce emplit les airs, entre l'encens et la rose, le parfum par excellence du Saint-Sépulcre. Les gens vont donc au fil du temps venir « capturer » cette fragrance luxueuse et ancestrale pour la rapporter chez eux.

Autre tradition, les paquets de cierges que les Russes achètent. Trente-trois cierges fins attachés ensemble. Trente-trois symbolise le nombre d'années de la vie du Christ. Ils les allument à l'une des bougies du tombeau. Puis les éteignent. En rentrant, ils défont le paquet et offrent chacune des bougies à leurs proches. Ces derniers, en les allumant de nouveau, profiteront de la flamme du Saint-Sépulcre, la flamme de la résurrection.

Un peu plus loin, le lieu où Jésus est apparu à Marie-Madeleine. « L'emplacement de Marie-Madeleine est latin, mais les Arméniens et les Grecs ont le droit de venir l'encenser deux fois par jour, ainsi que la colonne de la flagellation qui leur est accessible dans l'église des Franciscains », précise frère Jean.

Une « cohabitation » qu'on aurait presque envie de saluer, car, plus on avance et plus j'ai l'impression que les Grecs ont grignoté tant qu'ils ont pu l'espace. Pourquoi ? Parce qu'ils estiment avoir un droit spécial. Le Saint-Sépulcre date de l'empereur Constantin, époque de Constantinople, empire byzantin qui englobait la Grèce. De fait, ils se sentent un droit plus direct que les autres. En 1808, un incendie au Saint-Sépulcre a quelque peu redistribué les cartes des lieux, et disons que les Grecs ont alors un peu pris la main.

Ici, tout est calculé à la minute près. Qui fait quoi et quand. Que ce soit de raviver des bougies, passer le balai ou célébrer un office, tout est parfaitement planifié. Alors, pour simplifier les choses, le Saint-Sépulcre ne change pas d'heure. Pas de décalage horaire été-hiver. Et du coup, certains chrétiens font le choix de vivre en permanence à l'heure du Saint-Sépulcre.

Notre balade continue par la chapelle éthiopienne. Nous arrivons en plein office. Des chants hallucinants. Une étrange cacophonie qui, paraît-il, est extrêmement organisée et précise. Définitivement inconnue pour notre oreille. « Cela fait partie des chants les plus anciens. Un vrai trésor archéologique. Leur office dure des heures et des heures. Et ils doivent rester debout. Alors du coup, ils utilisent des bâtons de prière. »

Ces cannes géantes leur permettent de s'appuyer et sont, selon Marie-Armelle, très reposantes pour le dos. Dans la chapelle, une curiosité : un tableau représentant la reine de Saba, Éthiopienne donc, qui rencontre Salomon. Parmi les spectateurs de la scène, des Juifs polonais du XIX$^e$ siècle. Un anachronisme délicieusement naïf qui me donne envie d'en savoir plus sur l'église éthiopienne de Jérusalem ouest, dont j'ai souvent entendu parler.

Avant de se séparer, le frère Jean me prête son précieux guide de terres saintes. Un livre de 1936. Une mine d'or. Tant d'un point de vue archéologique, culturel et théologique, que d'un point de vue historique. Comment appréhendait-on Jérusalem avant la Deuxième Guerre mondiale, avant la création de l'État ?

En 1936, arriver à Jérusalem était un périple de sept jours, qui démarrait en bateau de Marseille. Sur place, les conseils sur les précautions d'hygiène sont délicieusement désuets. En raison des changements de température, il est recommandé de ne pas se promener dans Jérusalem après le coucher du soleil ni de laisser sa fenêtre ouverte. Il est fortement suggéré de consommer avec grande modération les vins « généreux » du pays mais, par contre, ne jamais boire d'eau pure. Il faut la couper avec du vin ou y ajouter une goutte de liqueur ou du café. Peut-être que l'engouement local pour le café glacé vient de là.

Toute dernière étape de notre balade, frère Jean me fait découvrir le toit où il se réfugie pour écrire son journal. Encore une vue à couper le souffle. Je comprends qu'elle pousse à la méditation et à l'écriture. Un journal que j'ai eu l'extrême privilège de lire. Une manière de découvrir comment on vit à Jérusalem quand on est un pèlerin religieux catholique. Riche, fascinant, profond et, en plus, bien écrit, ce qui ne gâche rien.

Ce qu'il raconte ? Ah cela, je n'en dirai rien. J'ai promis. Mais il abrite une bien belle âme, ma foi !

## 39

IL Y A une *night life* à Jérusalem. Si, si. Alexandra m'en avait parlé. Je l'avais vaguement imaginée. Je l'ai maintenant expérimentée.

Mais tout d'abord, la joie de retrouver Katell. Spécialiste en histoire des religions, elle a vécu quatre ans à Jérusalem. Elle maîtrise un nombre insensé de langues et évolue dans la ville, comme un poisson dans l'eau. Retrouver Katell, c'est l'assurance de passer un moment agréable, apprendre des tas de trucs et découvrir des lieux merveilleux.

Première étape. L'église éthiopienne de Jérusalem ouest. La fameuse. Située à quelques pas de la très commerçante rue de Jaffa, elle se dissimule au bout d'une ruelle qui ressemble à une impasse. Ici, on ôte ses chaussures pour entrer.

Et là, le choc. Je n'ai jamais vu une église pareille. Et ce, ni en Amérique Latine, ni même dans les Caraïbes ou en Asie. Explosion de couleurs. Kitscheries merveilleuses et douceurs des peintures. Au sol, des tapis rayonnant de rouges, de roses et de jaunes. Et partout, des icônes, des portraits du Christ et de Marie aux teintes incroyablement chatoyantes.

Certaines peintures sont recouvertes de rideaux transparents brodés, sans que je ne sache trop pourquoi. Partout, des bouquets de fleurs artificiels qui ne sont pas sans rappeler les décorations de certains temples asiatiques.

Quelques représentations du Christ ou de Marie sont tout à fait occidentales. D'ailleurs, comme l'expliquait Katell, les Éthiopiens ne se voient pas noirs. « Dans leurs écrits, ils se décrivent comme rouges. » En tant que spécialiste de l'histoire des religions, Katell s'est non seulement intéressée aux écrits sacrés mais elle a aussi quelques notions de guèze, l'écriture utilisée. Impressionnante, avec ses connaissances sans fin qu'elle distille avec une étonnante humilité.

Cette église, dont la forme ronde rappelle les édifices religieux byzantins, comporte un côté pour les hommes et un côté pour les femmes. Au centre, un espace fermé auquel n'a accès que le prêtre lors de la célébration de l'eucharistie.

Un peu dans l'esprit du saint des saints à l'époque du fameux temple juif. Le prêtre principal n'avait le droit de pénétrer dans le saint des saints qu'une fois par an. La salle autour était alors accessible à quelques autres prêtres et plus on s'éloignait du saint des saints et plus cela devenait « grand public ».

L'atmosphère de l'église est tellement belle, gaie et douce, que je pourrais y rester des heures. Les murs sont peints en turquoise, le plafond possède des anges de toutes les couleurs. Il y a aussi du rose orné de fleurs qui ne sont pas sans rappeler les pays de l'Est.

Il y a de l'Inde, de la chrétienté et du folklore russe dans cette église.

Malheureusement, pas d'office ce jour-là car c'est la période du jeûne en hommage à Marie, dont on vient de célébrer la fête, il y a deux jours. Deux semaines de jeûne sont prévues et, dans cette période, deux offices. Un la nuit et un en début d'après-midi.

Les bâtons de prières, abandonnés à gauche et à droite, donnent une dernière touche d'exotisme.

Avec Katell, nous sommes ensuite parties dîner dans un des restaurants non casher de Jérusalem ouest. Pas par conviction ou rébellion, mais juste parce qu'ils ont les meilleurs desserts.

Et en effet, fin de repas, on ne vous apporte pas une carte, mais plutôt un plateau avec tous les gâteaux disponibles. En vrai. Et en délice. Je défis quiconque de ne pas céder. Crèmes brûlées (très en vogue dans les restaurants fashion), gâteau chaud au chocolat, cheesecake avec ou sans fruits rouges, gâteau chocolat-café... Et puis, l'extraordinaire : mille-feuille de crèmes brûlées avec bananes caramélisées. S'en priver eut été un sacrilège.

Pendant cette débauche des papilles, Alexandra nous a rejoints. Pour elle, il était très important que je découvre les bars de gauche de Jérusalem. Car non, Jérusalem n'est pas qu'une ville religieuse, incroyablement à droite. Ce n'est pas Tel-Aviv non plus, pour faire la fête sans cervelle, genre on est sur la côte d'Azur. Il y a donc des bars très sympas où les gens peuvent boire un coup, se rencontrer, refaire le monde et militer en même temps.

Ainsi, il y a le Marakia. Traduisez : petite soupe. Ici, on vient manger une bonne soupe populaire et boire une pinte de bière. La soupe est faite maison, elle est casher, mais comme les proprios refusent de payer la taxe qui leur permettrait d'être estampillés casher, ils proposent donc simplement de la vendre moins chère.

Tous les gens un peu marginaux, de gauche, altermondialistes, ou autres, sont ravis. Sans oublier, donc, la bière qui, par principe, est moins chère qu'ailleurs. Ça ne fait pas un bar de gauche, ça ? En cas de doute, un détour par les toilettes des filles s'impose.

Car, au-dessus de la cuvette, sur le mur, on y découvre une affiche de Jean-Luc Mélenchon. Bar de gauche, on vous dit.

Étape suivante, un bar dans une rue piétonne. Toute petite, perpendiculaire à l'éternelle rue de Jaffa. Ici, le décor est sommaire. Des vieilles chaises en terrasse ou idéalement des plots sur lesquels on s'assoit.

Mais très vite, il y a du monde, alors on boit des bières debout, et pour faire des rencontres, c'est idéal. Ici, c'est un des rares lieux où les affiches d'événements sont en arabe et en hébreu. Certains y verraient un lieu malfamé, c'est juste très hétéroclite.

Alexandra adore venir ici car c'est le seul bar où l'on peut boire de la Tay Beh. À savoir, de la bière palestinienne. Élue à l'Oktoberfest comme l'un des meilleures au monde. Une bière, c'est qu'une bière vous me direz, mais là, c'est une manière de faire savoir qu'on est dans un pub antisioniste. D'ailleurs, la police ou l'armée ne s'y trompent pas, ils viennent régulièrement y faire des petites visites.

La soirée s'étire en douceur. La foule se fait plus compacte. Le nombre de minishorts et minijupes m'étonne. Une copine d'Alexandra nous rejoint. Becky, une jolie Américaine. Très beaux yeux bleus, dents parfaites, petit carré blond sexy et décolleté tellement plongeant que j'ai du mal à soutenir son regard.

Elle vit à Jérusalem depuis trois ou quatre ans. Elle a quitté les États-Unis parce qu'elle voulait vivre autre chose. « Je ne crois pas en Dieu. Ici, je pète un câble à peu près deux à trois fois par semaine, à hurler en pleine rue en m'arrachant les cheveux (à noter le sens de la mesure tout à fait américaine, NDLR) et à me demander ce que je fais dans une ville où les gens sont si fous et désagréables. »

Et là, forcément, on se demande aussi. « Eh bien, à bien y penser, il n'y a nulle part ailleurs où je vis aussi intensément. J'adore les rencontres, les discussions, les odeurs, la bouffe, le fait que tout est toujours plus compliqué. Ici, je vis à 200 %. »

Becky travaille pour une association de prévention de la prostitution. Car il y a, comme partout, de la prostitution à Jérusalem, et les jeunes femmes commencent très tôt, vers 13 ou 14 ans. Typiquement des profils en rupture avec leurs familles.

Becky et son association travaillent à faire du lobbying pour qu'une loi similaire à celles de Scandinavie passe. À savoir, condamner les clients et aider les prostituées. Selon elle, en Israël, la prostitution, qui n'inclut pas une troisième personne (proxénète), est autorisée. En gros, comme elle le dit si bien, « je peux m'adresser à un homme dans la rue et lui vendre mon corps, sans rien risquer ».

Parmi la clientèle, pas mal de religieux ne supporteraient pas les contraintes imposées à leur vie de couple. Selon Becky, plus de 70 % des clients auraient, en fait, une relation stable. Définitivement, la ville trois fois sainte réserve bien des surprises.

Après une bonne heure de discussion avec la jeune femme, je repars finalement à pied. Une quarantaine de minutes de marche où je croise une population que je n'aurais jamais soupçonnée. Mais où sont tous ces fêtards pendant la journée ? Ils dorment, ou bien sont-ils simplement habillés autrement ?

Arrivée du côté de Jérusalem est, c'est encore plus festif, la fin du ramadan se profile. Je croise des schtroumpfs géants et des Winnie l'ourson à taille humaine. Je repense *illico* au commentaire de frère Jean sur le risque que Jérusalem ne se transforme en Disneyland de la spiritualité… On y serait presque !

Il est tard, les douze coups de minuit ont sonné depuis longtemps. Alors forcément, quand il est question de se réveiller à 6 heures pour rejoindre le frère à une messe au tombeau du Christ, eh bien… Comment dire ? Il y a comme de la friture sur la ligne, et je ne me réveille pas. Honte, honte, honte sur moi !

Pas rancunier pour deux sous, le frère s'est souvenu d'une histoire que je lui avais racontée. Je lui avais parlé de cette femme formidable, Maria, que l'on appelait Fafa et qui était notre nounou. La bonté incarnée. Une femme pieuse dans le sens le plus noble du terme. Je lui ai raconté ce que représentait Jérusalem pour elle. Au point qu'elle avait demandé à se faire enterrer avec le chapelet que je lui avais ramené de la vieille ville, il y a bien longtemps.

Et ce matin, pendant que je dormais, le frère a dit la messe au tombeau du Christ pour elle.

Rien que l'idée de son regard, si elle avait su, m'a bouleversée toute la journée.

Elle n'y aurait probablement jamais cru. J'imagine ses yeux bleus interrogateurs. « Non mais tu te moques de moi là ! Tu me fais des blagues ? C'est pas possible… Pas pour moi ? !!! Eh bien, mon vieux ! », aurait-elle dit.

Un silence ému aurait suivi, main dans la main. Un de ces beaux silences où tout est dit.

## 40

Six heures quinze. Je suis dehors.

La ceinture dorée du lever du soleil commence à s'effacer pour laisser place au bleu implacable du ciel de Jérusalem.

Dans le quartier arabe, la fête s'est terminée très tard dans la nuit. Bien des étals sont à peine recouverts. Le stand de tapis s'est transformé en lit de fortune pour quatre jeunes endormis.

Un petit garçon passe avec deux cages à oiseaux. Un peu plus loin, un homme termine sa nuit dans un improbable fauteuil confort Ikea, coincé entre deux échoppes.

La fraîcheur est agréable mais porte déjà en elle la torpeur de la chaleur à venir.

Une fois passée la porte de Jaffa, la vieille ville se réveille tout doucement.

Une vieille femme mendie sans grande conviction. Des cartons de fruits et légumes colorés sont en train d'être déposés devant des échoppes dont la plupart sont encore fermées. Un chat gris à l'élégance égyptienne ne rate pas une miette des premiers mouvements du matin.

À contrejour, on distingue la silhouette d'une sœur orthodoxe qui remonte l'allée du souk qui mène au Saint-Sépulcre. De dos, on jurerait une musulmane voilée. Seul indice pour les différencier : le chapelet qu'elle tient à la main.

Deux soldats sont assis sur une murette. L'un bâille de tout son corps, l'autre joue mollement avec son arme. Un vendeur déplie ses volets pour accrocher ses keffieh *made in China* et des tee-shirts : « *Don't worry, be jewish* ».

Un peu plus loin, un vendeur a déjà fini de tout installer. C'est le seul. Il somnole sur une chaise plastique pendant que son poste crachote des prières musulmanes.

Au Saint-Sépulcre, on s'active déjà beaucoup plus. Sur le parvis, les chants de l'église éthiopienne résonnent. Leur pape est mort il y a deux jours. Cet office lui est probablement dédié.

Il y a déjà la queue au tombeau du Christ. La basilique hésite entre silence absolu et éclats de vie. Je grimpe les imposantes marches menant à la chapelle du Golgotha. C'est ici que, ce matin, le frère Jean va célébrer sa messe pour une dizaine de personnes.

L'atmosphère est agréable. L'odeur de nard se mélange à celles des produits d'entretien utilisés pour nettoyer le sol marbré pendant la nuit. L'office se passe tout en douceur. L'homélie concerne ce moment où Jésus confie Marie à son ami Jean. Et inversement. Le recueillement des lieux me plonge dans une réflexion intense.

Depuis plusieurs jours, je m'interroge sur la raison profonde de ma venue et sur ce que ce séjour a changé en moi. En fait, je me rends compte que j'ai passé du temps à muscler deux vertus qui m'importent particulièrement. La capacité de pardon et la force de la sérénité.

Pas de doute, les bousculades quotidiennes, l'agressivité omniprésente, l'incompréhension, la complexité des plus petites choses, la difficulté de circulation, autant d'occasions de travailler l'apprentissage de la sérénité et du pardon. Mon retour à Paris me dira si ce stage intensif a porté ses fruits.

La messe est dite en trente minutes. Je ressors. La température a déjà sérieusement grimpé. Il est 7 h 30. Le ciel est devenu puissamment bleu. Alors que je repars en direction de la porte de Damas, de nombreux juifs religieux reviennent déjà du Kotel. C'est vrai, c'est sabbat aujourd'hui.

Un vieil épicier arabe accepte de me faire un jus d'orange frais alors que sa machine n'est pas encore installée. Il s'y consacre méthodiquement. Une orange, puis deux, puis quatre. Au moment où il me tend le gobelet de plastique, un sourire discret, mais néanmoins chaleureux, me fait dire que, oui, Jérusalem va me manquer.

From :    Frère Jean
To :      Katia
Subject : Suite à notre conversation d'hier
Date :    Jeudi 16 août 2012

Je repensais à votre projet de livre et je me demandais si, à un moment, vous abordiez la question des différences religieuses. La plupart du temps, les Occidentaux qui viennent à Jérusalem ont recours à une pirouette que je ne trouve pas très honorable. Comme ils sont choqués par les différences religieuses et par les tensions qu'elles servent à justifier parfois, ils haussent les épaules en regrettant que tout le monde se dispute, « alors que nous avons tous le même Dieu ». Leur indignation vaut pour les différences et les tensions entre grandes religions (judaïsme, christianisme, islam), mais aussi pour les clivages à l'intérieur même des religions (orthodoxes, catholiques, etc.)
Pourquoi est-ce que je trouve que leur réaction est insuffisante et même carrément agaçante ? Disons que je suis d'accord sur le fait que, dans l'absolu, s'il y a un Dieu, il est unique, et que c'est bien dommage de se diviser en son nom. Mais en même temps, peu de personnes relèvent que chaque conception de Dieu entraîne aussitôt une conception de l'homme. La vision que le judaïsme a de Dieu implique une vision de l'homme créé à son image, mais aussi des relations entre les

hommes, de l'homme avec la nature, etc. C'est valable pour chaque religion et même chaque confession, avec des nuances plus ou moins marquées, et parfois carrément des fossés anthropologiques.

Au fond, c'est l'angle de vue qui m'intéresse ici : comment chaque confession voit-elle le visage de Dieu : proche, accessible ? Plutôt juge d'abord ? Plutôt miséricordieux ? Les deux ? Dans quel ordre ? Le visage de Dieu oblige à regarder autrement celui de l'homme : effrayé devant Dieu, rempli de crainte amoureuse, familier. Même chose pour les relations humaines : si Dieu est pardon, où en suis-je de ce côté-là ? Pourquoi la manière dont mon Église a reçu et compris la révélation me paraît-elle plus juste ? Où doit-elle évoluer ?

Du coup, le réflexe de s'en tenir à l'unité par le haut a tendance à faire de Dieu un Dieu aussi abstrait que nos pensées sur lui. Cela devient une religion très vague, et même une religion du vague. Comme l'écrit Hegel, on entre dans la nuit où toutes les vaches sont grises. C'est nous qui faisons Dieu à notre image, et plus le contraire. Cela donne, pour l'Occidental moyen, un Dieu commode et pas trop gênant, et qui n'a pas d'avis sur mon existence concrète ; comme il est très gentil, il est toujours d'accord. Il n'a même pas besoin de pardonner puisqu'il voit les choses comme moi. Un pauvre Dieu, genre mari écrasé par sa femme. Un Dieu *Nature et découverte*, verveine passiflore. C'est vrai que ce n'est pas le Dieu que l'on découvre à Jérusalem et au Moyen-Orient !

Bref, j'abuse dans la forme mais pas dans le fond, je crois. Reconnaître la différence et l'apprécier est plus respectueux des personnes que de couper tout ce qui dépasse. Les religions sont là pour nous faire aller plus loin, pour nous mesurer à plus grand que nous. C'est nous qu'elles remettent en question. Qu'elles servent de prétexte à l'explosion de la violence que les hommes portent en eux : je suis bien d'accord. Mais elles servent aussi de régulateur. Et notre époque qui n'est pas très religieuse a vu des conflits tellement abominables que je ne crois pas très rationnel de faire porter aux religions le chapeau de la violence. En tous les cas, ce serait bien de nuancer en regardant quelle vision de Dieu et quelle vision de l'homme est véhiculée par chacune. Bonne soirée et à demain au Saint-Sépulcre.

## 41

Dᴵˣ-ꜱᴇᴘᴛ heures quinze le rendez-vous est pris pour retrouver frère Jean au Saint-Sépulcre. C'est l'heure de la procession de l'église arménienne. Il m'avait vanté des chants exceptionnels à ne rater sous aucun prétexte.

« Je n'ai jamais éprouvé une émotion artistique et religieuse aussi forte, avait-il écrit dans un mail. Un morceau de bravoure, de poésie triste et sereine, un hurlement de foi et d'espérance vers le ciel et une tristesse terrible, et pourtant pleine quand le soliste lance sa voix comme on lance une balle, habilement, au bon endroit, sans s'arrêter. »

Forcément, dit comme cela, ça ne pouvait que me tenter.

Mais avant, une dernière baignade sur le toit de l'hôtel Saint-George. Il fait chaud. Très chaud, et l'emplacement assure une petite brise idéale. On évolue dans l'eau en faisant de l'œil au mont des Oliviers et au Saint-Sépulcre.

À nos oreilles, la ville murmure. Concerts de klaxons, appels à la prière, cloches en tout genre, éclats de voix, pas de doute, c'est bien Jérusalem. Le lieu a en plus le mérite d'être très peu fréquenté. Si j'osais, je dirais que c'est divin.

Bien plus fréquenté : le parvis du Saint-Sépulcre. Parfois, on a l'impression d'être aux vitrines de Noël des Galeries Lafayette. Ça piaille et ça bouscule.

J'aperçois frère Jean qui discute avec des pèlerins et une jeune religieuse.

Cette dernière me demande : « Mais vous êtes ensemble ? » Pas sûre de bien saisir la subtilité de la question, j'opte pour le oui. Car, après tout, nous allons suivre la procession ensemble. Et soudain, je réalise combien nous faisons un tandem inattendu. La femme enceinte, seule, et le curé en aube grise.

Elle est très jeune, rondouillarde, à la langue bien pendue. On imagine combien ce genre de voyage lui change du quotidien de son couvent. Elle n'a de cesse de raconter tout ce qu'elle a vu.

Elle m'explique, entre autres, avec une candeur touchante :

« Je n'aime pas les gâteaux du ramadan, ils sont vraiment trop étouffe-chrétiens.

– Joliment dit. »

Elle prend conscience du sens des mots qu'elle vient de prononcer, ses yeux s'agrandissent et le rouge lui monte aux joues.

« Oh oui, mon Dieu, le problème c'est que bien souvent je parle trop vite et j'oublie de réfléchir. »

Faute avouée, dit-on...

Avant qu'elle ne reparte dans un tourbillon de paroles, le frère attire mon attention sur l'arrivée des séminaristes arméniens. Ils sont une trentaine, tous habillés d'un blazer noir digne de Poudlard, et ils portent leurs aubes sur le bras. En file indienne, tous plus beaux les uns que les autres : une classe folle.

Une fois à l'intérieur, ils se préparent, distribuent les cierges. Les Grecs (encore eux) ont le monopole de la vente des cierges dans le Saint-Sépulcre, le seul endroit où les Arméniens ont le droit de vendre les leurs, c'est dans leur sacristie.

Il faut dire que les Grecs et les Arméniens ne sont pas copains, et ce depuis l'Empire byzantin. Autant dire que c'est bien enraciné.

Voilà, nos trente séminaristes ont enfilé leurs aubes et le prêtre arrive en tenue. Impressionnant. Il a un grand manteau brodé, type tenture de Versailles. Fond bleu, décors dorés. Puis un chapeau qui ressemble à un petit chapiteau, le tout recouvert d'un tissu noir satiné qui tombe sur les épaules. C'est le symbole de l'Esprit Saint et de l'Église (les clochers arméniens ont, paraît-il, cette forme).

Puis, vient le diacre. Encore plus impressionnant. On dirait un Roi mage. Couronne, tenue dorée brodée de rouge. « Il fut un temps, les religieux avaient les mêmes considérations que les rois », me glisse le frère. Cette tenue contraste de manière éclatante avec la sobriété des séminaristes tout de noir vêtus.

Dès la première note de chant, je suis impressionnée par la puissance vocale du groupe. Instantanément, la vibration pénètre dans les tripes comme un uppercut sonore. La rigueur absolue de l'interprétation est exceptionnelle. Une force, une beauté nouvelle pour moi. Selon le frère, l'étrangeté vient des demi-tons et quarts de tons qui sont courants dans ces chants-là. Je veux bien le croire, je n'y connais rien, mais en tout cas, j'ai la sensation qu'en levant les yeux je vais pouvoir regarder les sons rebondir sur les parois du Saint-Sépulcre.

La procession fait le tour des points forts de la basilique. Mon moment préféré est incontestablement dans la chapelle souterraine où sont gravées toutes les croix des pèlerins. Pour profiter pleinement, discrètement je m'assois. Avec la chaleur, la grossesse, les stations debout finissent par être un peu difficile.

À peine le temps d'éprouver un peu de soulagement qu'un des séminaristes, visiblement affecté à la sécurité, me tombe littéralement dessus. Je ne suis pas au point en arménien mais je comprends vite qu'en gros, avec mon manque de savoir-vivre, je fous la cérémonie en l'air.

Coup d'œil du frère vers moi. Inutile de dire que j'ai honte et l'impression d'être de retour en primaire quand sœur Françoise, en deux mots, nous remet dans le droit chemin. De quoi se sentir légèrement sous tension jusqu'à la fin de la procession.

À la fin, le frère m'a proposé d'aller au souk chrétien pour aller faire la connaissance de Johnny qui tient une échoppe. Un magasin des années 1950 qui vend toutes sortes de bijoux en lien avec la religion juive et chrétienne.

À l'entrée, une feuille A4 où est griffonné au stabilo « *Johnny's shop n° 5* ». Pas de doute, nous sommes à la bonne adresse. À l'intérieur, un bric-à-brac étonnant.

Le frère a entendu parler de lui par des pèlerins et aimerait en savoir plus sur le personnage.

Au fond du magasin, une microscopique arrière-boutique, dans laquelle il nous concocte un thé à la menthe. Autour du comptoir, un *balagan* (comme disent les Israéliens, traduisez : un bazar) improbable. Vieux chapeaux de lampe, croix en tout genre, boîtes rouillées et poussiéreuses, outils de toutes sortes.

Johnny a le visage joliment buriné. Une peau cuivrée, un sourire éclatant et, derrière ses petites lunettes de prof, des yeux pétillants. Son trône est une ancestrale chaise de bureau qui a dû vivre bien des aventures.

À ses côtés, entre deux tas de cartons et de vieilles valises, un petit fauteuil de fortune, recouvert de coussins fleuris qui ont, eux aussi, bien vécu. On voit qu'ils sont installés dans le souk depuis soixante ans. Cette place de choix est occupée par le copain juif de Johnny. Ils sont amis depuis une vingtaine d'années et ils se voient tous les samedis pour… parler de Jésus.

Eh oui, parler de Jésus, c'est son dada, à Johnny.

« Jésus a tellement changé ma vie que je dois, je veux en parler à tout le monde. »

Depuis un quart de siècle, il répand donc la parole du Christ. Pas de formation particulière pour cela, mais une croyance indéboulonnable en Dieu qui, selon lui, lui souffle les bons arguments.

Johnny est d'origine syrienne et chrétienne. Dans sa famille, on est croyant, mais il est vraisemblablement le seul à vivre sa foi de manière aussi intense. Le prosélytisme lui prend tout son temps libre. Et, comme lui rappelle son copain juif, « tu ne dois pas perdre de vue ton travail. Ton magasin, c'est ce qui te fait vivre. » Un rappel à l'ordre qui amuse Johnny mais qui ne le fera sûrement pas dévier d'un poil.

Deux fois par semaine, il file en Cisjordanie donner à manger aux malheureux. « Nous aidons autant de chrétiens que de musulmans. » Pour lui, c'est le meilleur moyen, de sensibiliser les gens à la parole de Jésus. « Je ne cherche pas à les convertir, ni à les convaincre, mais la parole est tellement forte que je suis sûr que cela ne les laisse pas indifférents. »

Il organise des groupes de parole avec les musulmans. Chaque semaine, un thème. Le pardon, le paradis, etc. « Je leur ai dit : pourquoi vous priez un Dieu qui ne vous assure pas le paradis ? Moi je le sais, dans les écrits, Jésus l'a dit : nous irons tous au paradis. Alors comment ne pas le choisir, lui ? »

Il y a de la candeur chez Johnny et, bien sûr, de la conviction à revendre. Quand je lui demande pourquoi il ne fait pas des groupes de paroles avec les juifs, il prétexte la langue. Au moins les musulmans parlent arabe, comme lui. Mais j'imagine que le non-intérêt des juifs pour le christianisme n'y est pas pour rien non plus. Car, être chrétien en Israël, ce n'est pas simple. C'est peut-être même aussi compliqué que d'être musulman.

Et d'ailleurs, le frère veut me présenter ses amis qui sont, eux aussi, chrétiens. Il les considère comme sa petite famille de Jérusalem. Direction porte de Jaffa. Un dédale étrangement calme, à quelques mètres de l'agitation inexorable du coin.

Nous entrons dans une petite maison particulière. Ici vivent Angela et Gabi.

Angela est une petite brune, menue, jolie tout plein. Une véritable boule d'énergie qui dégage une générosité incroyable. Impossible de ne pas l'aimer instantanément. Elle a des faux-airs de Florence Foresti et le même genre de caractère. Elle est Française et vit en Israël depuis sept ans.

Elle vient de se marier avec Gabi. La quarantaine, bel homme, il est de ceux dont on dit qu'ils ont une gueule. Ses yeux sont clairs, d'une couleur indéfinissable que l'on n'est pas prêt d'oublier. Peau mate, barbe de trois jours, il en impose instantanément.

En deux secondes, ils acceptent de raconter leur rencontre, leur histoire d'amour hors norme. Il n'en faut pas plus pour deviner que ces deux-là ont une passion aussi explosive que profonde.

Angela s'est lancée dans les mosaïques. Gabi, lui, revenu d'une vie de *Golden boy* en Angleterre, tient le bar restaurant le plus tendance de la porte de Jaffa. Un lieu improbable où se croisent Juifs, cléricaux chrétiens, quelques Arabes et les touristes. C'est ici qu'Angela a fait sa connaissance, lorsqu'elle a postulé pour être serveuse. Au début, elle « ne le sentait pas, ce type ». Mais elle avait besoin de travailler et elle s'est donnée quelques mois. Il a fallu quelques semaines pour qu'elle tombe amoureuse. Et lui aussi.

Gabi tient son restaurant d'une main de fer mais les difficultés sont nombreuses. Selon lui, et il n'est pas le premier à le dire, la municipalité veut récupérer des terrains et des immeubles sur la vieille ville. Et pour cela, rien de tel que de transformer le quotidien des propriétaires en enfer administratif. Un enfer que le quartier arménien connaît bien, au point de se demander s'ils ne vont pas être rayés de la carte à un moment.

Gabi est Palestinien chrétien de nationalité israélienne. Mais il a aussi, et c'est sa fierté, un passeport britannique. À la porte de Jaffa, il a, depuis sept ans, réussi à se faire respecter dans une impasse qui était plus connue pour ses drogués et ses ordures. La plupart des gens du coin savent aujourd'hui qu'il ne faut pas plaisanter avec lui, mais la police et l'administration n'ont de cesse de lui faire des croche-pieds réguliers.

Il explique avec beaucoup d'ardeur que l'État israélien veut la peau de la chrétienté. « Ils font tout pour nous écraser, tout simplement. » Pour la suite des événements, il est assez pessimiste.

« Pour s'en sortir, il faudrait que toutes les Églises s'unissent pour avoir un véritable poids. Les Grecs, les Arméniens, les catholiques, tous. Et peut-être que cela arrivera un jour. Il le faudra, sinon on perdra. »

On sent chez Gabi une énergie colossale mais aussi une certaine rage, voire une violence difficilement contenue qui fait dire au frère Jean, en riant : « Gabi, tu es comme ma famille mais j'ai envie de dire que je préfère de beaucoup t'avoir comme ami que comme ennemi. »

Gabi rit, ses yeux perçants vous scrutent un instant puis il évoque, rapidement, quelques souvenirs d'une enfance d'humiliations liée à son statut de Palestinien. Son frère a fait de la prison, durant la deuxième intifada. Lui, à l'époque, était resté à distance. Il savait que s'il se lançait là-dedans, il pouvait devenir méchant, voire carrément mauvais.

Mais il a quand même un fait d'arme qui amuse beaucoup Angela.

À 15 ans, il a balancé une tomate sur Ariel Sharon. Il a touché sa cible et il est parti en courant d'un toit à l'autre de la vieille ville. Il est arrivé chez lui, à bout de souffle, impressionné par sa témérité et terrifié par les représailles. Sa mère le voit, blanc comme un linge, elle s'inquiète, elle lui relève la tête et lui colle une claque dont il se souvient encore. « Elle m'a vu tellement pâle, elle a eu peur. »

On imagine volontiers la première scène d'un film. Car pas de doute, Gabi a un visage incroyablement cinématographique. De celui des justiciers. Grand cœur mais dur à la douleur.

Sur le conflit israélo-palestinien, il conclut, en allumant une cigarette : « Personne n'ose le dire, mais nous avons déjà perdu. »

Leur petite maison de bric et de broc est une véritable auberge espagnole. Les visiteurs débarquent sans prévenir, sûrs d'y trouver un verre et de la bonne humeur. On refait le monde. On rit. On évoque un quotidien difficile.

« Les gens n'imaginent pas la difficulté d'être chrétien ici. En 1948, nous représentions 20 % de la population, aujourd'hui, seulement 2 %. Notre culture disparaît. »

Il rallume une cigarette.

« Tu vas l'appeler comment ton livre ?

– Probablement, *Lost in Jérusalem*.

– Très bien, très très bon titre. Car c'est exactement cela, nous sommes *"lost in Jerusalem"*.

Une inspiration profonde, suivie d'un silence…

– Oui, tu as tout compris, nous sommes vraiment *"lost in Jerusalem"*. »

La nuit progresse. Il est temps de rentrer. Le quartier musulman de la vieille ville est en pleine effervescence. Ce soir, c'est la fin du ramadan. La fête est partout.

Alors que je la traverse seule, je suis une des très rares étrangères, dans le coin. Je regarde ces festivités comme une incroyable cérémonie d'adieu.

Car dans quelques jours, je plie bagages.

From : Frère Jean
To : Katia
Subject : Dernières nouvelles avant votre départ
Date : Mardi 21 août 2012

Chère Katia,

C'est le matin et le soleil est déjà brûlant ici. Le mont des Oliviers est sorti de sa première brume et la journée s'annonce torride. Je vais la commencer en replongeant dans mon lit car la nuit a été trop courte !

J'ai passé deux jours en Samarie, dans un village chrétien. Un jeune très gentil m'y avait invité. Accueil fastueux avec le meilleur repas imaginable...

Des tonnes de choses à raconter, mais peu de temps. Je retiens en tout cas que ces chrétiens voient leur communauté se réduire. Ceux qui restent sont très attachés à leur terre, et les confessions se mélangent sans les problèmes de Jérusalem, je veux dire les confessions chrétiennes. Nous avons beaucoup parlé de leur peur principale : l'extension de l'Islam et l'impossibilité, depuis quelques années, de manger en public pendant le ramadan. Le fils m'explique que c'est par respect, le père me dit que c'est obligatoire pour éviter les tensions. En tous les cas, s'ils travaillent, les chrétiens font le ramadan. Presque rien de neuf sauf ceci qui m'a fait dresser les cheveux sur la tête : « Il y a trois ans, une jeune fille chrétienne a eu une histoire avec un musulman » (traduction : ils ont dû échanger des sourires, car ici la virginité est un tabou : une femme non vierge le jour de son mariage est renvoyée à son père et doit quitter le village). « Nous avons été obligés de la tuer pour que toutes les filles chrétiennes sachent que ce n'est pas possible de faire ça. Nos filles sont pour les chrétiens. »

L'horreur. J'en ai encore les cheveux qui se dressent sur la tête. Des barbares, des barbares. L'évangile du jour rappelait : « Tu ne tueras point. » Où est l'Évangile là-dedans ?

Je me suis tu car j'ai mis du temps à intégrer la nouvelle.

De retour à Jérusalem, je raconte cela à mon évêque qui tombe des nues. Il me demande de lui répéter l'histoire et le nom du village. Il n'a jamais vu ça. « Ils font comme les musulmans. C'est des chrétiens, ça ? » Cela me rassure : ce doit être un cas isolé et la situation n'est pas courante. Mais vraiment ! Quelle horreur.

Dans le même temps, on est saisi aux tripes par le sort de ces chrétiens. Les musulmans les agressent verbalement et essayent de prendre les filles (ça c'est vrai, tout le monde confirme). Le jeune homme qui m'invite a un passeport jordanien. Il est fou amoureux, depuis six ans, de sa cousine (on se marie pas mal en famille dans le quartier), qui a un passeport israélien. Il leur faut une permission pour se rencontrer. Ils ne pourront se marier qu'à condition de vivre en Jordanie car lui n'aura pas de carte de résidant en Israël et ne l'aura jamais. Ils sont jeunes, beaux, amoureux avec une pureté de paysans du XIXe siècle, se faisant des petits sourires de contes de pastoureaux. Ils ignorent toute la merde de notre monde occidental. Ils ont passé deux jours à prévenir le moindre de mes éventuels désirs (assez épuisant cette politesse) et leurs parents m'ont laissé leur chambre pour dormir sur le canapé. Ils ont donné leur chemise et trente-six heures à s'occuper de moi au lieu de se conter fleurette sous les oliviers (ils ne se reverront qu'à Noël). Ils s'aiment comme des enfants. Et vlan : Israël les empêche de se marier pour vivre chez eux. C'est dingue, cela me révolte. De pures victimes qui n'ont même pas assez d'endurcissement pour maudire qui que ce soit et qui sont résignées à leur sort : ils sont Palestiniens, c'est leur faute. J'ai vraiment eu l'impression que j'avais, en m'occupant d'enfants abusés : l'innocence bafouée.

Faites un bon retour en France.
Prenez soin de vous.
À bientôt !

Frère J.

## 42

DERNIER JOUR, dernières sensations, dernières émotions. Rania et Marie-Armelle m'ont gâtée. Elles ont décidé de m'embarquer dans le désert pour que je puisse stocker dans ma mémoire autant de panoramas exceptionnels que possible.

Jérusalem est calme aujourd'hui. C'est dimanche, jour de repos des chrétiens et en même temps fête de l'Aïd des musulmans. Après une orgie de shopping et de souk, tous les commerces sont fermés. On célèbre en famille la fin du ramadan. La plupart des rues de la vieille ville et de Jérusalem est sont donc désertes et calmes, pour la première fois depuis bien longtemps.

Pour mon dernier périple, première étape. Une baignade à l'hôtel Intercontinal de Jéricho. La température de la piscine est idéale. J'essaie d'ancrer dans mon esprit chacune des sensations. L'odeur des narguilés, le souffle du vent chaud sur ma peau, le goût des mezze, le rire de mes amies, la délicieuse acidité de la limonade à la menthe.

Toutes les trois, installées sur nos transats, nous observons ces baigneurs dominicaux. Je souris quand je regarde nos lectures. J'ai pris le *Jerusalem Post*, Rania lit un voyage à travers Jérusalem d'un auteur anglais et Marie-Armelle s'intéresse à un livre sobrement intitulé *Jérusalem*, d'Alexandra Schwarzbrod. Pas de doute, le virus a non seulement frappé mais il est, en plus, incurable.

Véritable faubourg de Jérusalem, cette piscine de Jéricho donne l'occasion aux filles de croiser pas mal de leurs connaissances. Dont un curé. Surprenant au premier abord, mais après tout, pourquoi n'aurait-il pas, lui aussi, le droit de se rafraîchir quand le thermomètre flirte allègrement avec les 40 °C ?

Plus inattendu peut-être, j'observe cette famille musulmane venue en force dont les femmes se baignent… entièrement habillées. Pendant que leurs époux expérimentent les plaisirs de la baignade en maillot de bain classique. Définitivement, quelle que soit la religion, je ne m'habituerai pas à un tel rejet de la femme. Sous prétexte qu'elle est la plus précieuse, la plus sacrée, elle est réduite au rang d'objet pour le bon plaisir de son mari.

Comme cette femme, ou tout au moins ce fantôme que j'ai aperçu porte de Damas, hier. Elle portait le niqab, mais aussi des gants noirs, et ses yeux étaient dissimulés. Au-delà de la souffrance liée à la chaleur (l'ensemble était noir et vraisemblablement dans une étoffe proche du nylon), c'est l'annihilation totale de la femme qui me bouleverse.

Que pense le petit garçon qui lui tient la main ? Quel message lui envoie-t-on ?

Encore une fois, Jérusalem, terre de tolérance qui nous bouscule, au point de nous révolter et nous raccrocher à nos droits, à nos croyances, à notre identité, avec pour conséquence bien souvent, malheureusement, de raviver notre intolérance.

Combien de fois, pendant ce séjour, en une journée, ai-je posé la question de la nationalité ? Directement ou indirectement. La plupart du temps, on commençait par me répondre par une religion. Souvent parce que l'imbroglio administratif rendait cette réponse plus simple, plus limpide. Aussi parce que, pour beaucoup, affirmer la religion est un étendard, un acte de résistance.

Entre chrétiens, voire catholiques, l'enquête est plus simple. On vous demande en un temps record, et avec plus ou moins de subtilité, si vous êtes croyante et si vous êtes pratiquante. Alors qu'en France, ces questions relèvent de l'intime, ici, on estime que vous devez vous positionner, vous afficher, et évidemment, vous assumer le plus clairement possible.

Il y a dix ou quinze ans, je n'aurais pas pu faire ce voyage. Ou tout au moins ne l'aurais-je peut-être pas terminé. Car quand on vient à Jérusalem, il faut savoir qui on est, où l'on en est dans sa vie. Il faut être en accord avec soi-même pour encaisser les turbulences et les questionnements incessants.

Et quand bien même on s'y est préparé, on en revient différent malgré tout. Selon un psychiatre israélien, c'est l'origine même du fameux syndrome de Jérusalem. Venir dans un lieu si dense, chargé de tant d'histoire et de spiritualités, est un acte qui, pour beaucoup, est annonciateur de changements profonds. Et selon ce psychiatre, c'est pour cela que les psychismes fragiles perdent pied. Cela va de ceux qui, comme à Las Vegas, sont prêts à tout bazarder, à ceux qui vont jusqu'à se prendre pour un prophète, voire le Messie en personne.

Je n'en suis, Dieu merci, pas là, mais je peux aisément comprendre que la découverte de ces pierres ancestrales, le mélange ahurissant de ferveurs religieuses, la beauté des lieux, peut brouiller les repères.

Cela dit, expérimenter Jérusalem, c'est aussi aller fouler le désert.

Alors que la petite brise du soir se lève, nous filons vers le lieu où, selon la tradition byzantine, Jésus a été tenté par le diable. Dans le désert, celui-ci lui offre le pouvoir, la richesse et le péché de chair. Contrairement à certains politiques, Jésus a tout décliné pour mieux continuer son destin.

Nous voici au pied d'un monastère accroché à une falaise. Une petite guérite vend quelques souvenirs et, miracle, des glaces. Le choix n'est pas immense mais la sensation, divine. Un plaisir partagé entre amies au cœur d'un canyon aux dégradés allant du jaune à l'orange, voire l'ocre clair. Finalement, ce n'est pas si facile de résister à la tentation du plaisir.

Puis, alors que la lumière de fin d'après-midi prend ses reflets dorés exceptionnels, nous nous dirigeons dans une mosquée dont la construction date du XIIIᵉ siècle. Selon Marie-Armelle, c'était la première étape des musulmans après une journée de marche, quand ils quittaient Jérusalem pour aller à la Mecque. Il suffisait, à ce point précis, de regarder vers la Jordanie pour voir où Moïse était mort. Avec le temps, on a comme oublié de regarder par la fenêtre et on a recréé une sorte de tombeau-hommage audit Moïse et la mosquée est devenue celle de Nabi Musa, traduisez : le tombeau de Moïse.

Fête de l'Aïd oblige, la quiétude est absolue. On peut déambuler à loisir dans la construction. On découvre les emplacements où les pèlerins devaient dormir. Chaque ouverture sur le désert est comme un tableau sur la Jordanie.

Un cimetière musulman, où le temps semble s'être arrêté, finit d'ancrer les lieux dans l'éternité. Les toits bombés bleu clair, les murs blanchis à la chaux, la couleur orangée du désert et l'azur du ciel uniforme... Un tableau à couper le souffle. On se voit facilement poser son sac à dos pour quelque temps.

Nous poussons un peu plus loin dans le désert. Des canyons et des vallées creusées par les pluies à perte de vue, accompagnés par la musique du vent, ont de quoi faire perdre la notion du temps. Si, comme Jésus, on devait rester seul pendant quarante jours, qu'est-ce que notre vie intérieure nous évoquerait, quels seraient les choix que nous ferions ?

C'est une question que l'on pourrait poser au moine orthodoxe qui vit dans le monastère Saint-Georges.

Une merveille accrochée à une falaise que l'on ne peut atteindre qu'au prix d'une bonne grosse randonnée à pied (une longue descente suivie d'une improbable montée). Il vit seul dans cet immense bâtiment. Entre les visites des touristes, il règne en maître dans ces lieux avec, comme seule perspective à chaque fenêtre : les parois du canyon.

J'ai un mal fou à me dire que, dans quelques heures, je vais monter dans mon shirout, puis dans l'avion direction Paris. Mes amies connaissent bien la tristesse de quitter Jérusalem. Elles connaissent aussi le meilleur moyen de dire au revoir à la ville.

Direction le mont des Oliviers, à l'heure où le soleil joue à cache-cache avec le Dôme du Rocher. Peu à peu, la ville est caressée par un ruban rose annonciateur de la nuit. Jérusalem s'offre à nous, incroyablement sereine. Au loin, un appel à la prière. L'éternel concert de klaxons semble se faire discret.

La nuit ne se fait pas prier pour envelopper ce sublime tableau.

Il existe encore un panorama que Marie-Armelle veut partager. Nous traversons le mont des Oliviers. Dans cette partie résolument palestinienne, un drapeau israélien flotte avec arrogance sur un immeuble. « Les propriétaires palestiniens l'ont vendu aux Israéliens avant de s'exiler aux États-Unis. C'est une brèche dans le mont des Oliviers. Les représailles n'ont pas tardé, le frère du propriétaire exilé a été assassiné. »

Un peu plus loin, un nouveau poste de police, fraîchement installé dans des mobile homes, annonce le souhait de la municipalité de reprendre possession des lieux, d'une certaine façon.

À quelques centaines de mètres, le mur de séparation qui coupe la mythique route de Jéricho. Des inscriptions à la peinture noire sur le béton hurlent à l'apartheid.

Incroyable comme la vision de ce mur, si haut, si compact, empêche littéralement de respirer.

À proximité, une colonie toute neuve, toute propre. Le principe a été simple. Un archéologue israélien a revendiqué une trouvaille historique. On a alors exproprié tous les Palestiniens, pour finalement se rendre compte que c'était une « erreur ». Il n'y avait rien de majeur. Mais puisque les propriétés étaient devenues israéliennes, c'était peut-être l'occasion, pour des colons, d'avoir des logements tout neufs avec une vue imprenable sur leur ville !

Ici, plus que dans n'importe quel autre quartier de la ville, impossible d'échapper plus de cinq minutes aux tensions, aux conflits, aux injustices et aux divergences de visions.

Nous voilà arrivées à la maison d'Abraham. Une enclave du Secours catholique qui offre les chambres de pèlerins les moins onéreuses de Jérusalem. Nous sommes accueillis par deux volontaires qui nous invitent à découvrir le trésor des lieux : la terrasse sur le toit.

Il fait maintenant nuit noire, la lune est un mince filet doré. Les lumières, comme autant de manifestations d'espoir, scintillent sur la ville.

Au milieu, le Dôme doré attire irrémédiablement le regard.

Quelle que soit la réalité politique ou religieuse de Jérusalem, il reste, aujourd'hui, sans conteste, le symbole, l'emblème d'une ville qui résiste à toutes les turbulences et à tous les tremblements de terre.

Mais pour combien de temps encore ?

Cet ouvrage a été composé
en Palatino corps 11
par Nord Compo
à Villeneuve-d'Ascq (Nord).

Achevé d'imprimer
par l'Imprimerie Floch
à Mayenne, en mars 2013
sur papier Lac 2000,
pour le compte du Passeur Éditeur.

Dépôt légal : mars 2013
N° d'imprimeur : 84487
Imprimé en France